大偵探
福爾摩斯
SHERLOCK HOLMES
提升數學能力讀本

代數‧簡易方程 之 卷

匯識教育有限公司

大偵探福爾摩斯

好玩 趣味數學 易明

大家查案要「大膽假設，小心求證。」
身為偵探，首要仔細觀察，若掌握科學知識和數學邏輯，更事半功倍！
我為少年偵探隊度身設計《提升數學能力讀本》，大家要好好閱讀喔！

期待~

還記得嗎？福爾摩斯先生幫我們的朋友掙回工錢（註1）*，也曾救過我（註2）*呢！

＊1 詳見《大偵探福爾摩斯⑯ 奪命的結晶》（數字的碎片）　＊2 詳見《大偵探福爾摩斯⑫ 智救李大猩案》（智破炸彈案）

　　《提升數學能力讀本》參考小學數學的學習範疇製作，共有六卷，大家可按自己的數學程度，隨意由任何一卷讀起。

這六卷書沒有深奧的數學理論及沉悶的說明，但有冒險故事、名人漫畫及數學的生活應用，令大家可以輕輕鬆鬆地投入數學知識的領域中。

－加減乘除之卷
－分數・小數・百分數之卷
－平面・面積之卷
－立體・體積之卷
－度量衡之卷
－代數・簡易方程之卷

內容精要

你知道嗎？我們每日都活在數學中啊！

六卷書都有不同的有趣題材，教大家用數學應對日常生活所需，例如購物及理財；也有輕鬆一下、激活腦筋的「智力題」。另外你還可製作數學遊戲跟同學一起玩呢！

$cm^2 + - \times \div$
$\sqrt{}$ % = LCM

生活數學

妙用數學幫你省錢省時，錯過了會後悔啊！

理財數學

儲蓄前想一想，用哪一種算法助你積少成多！

摺出數學

用手工紙摺出數學定理！

漫畫數學

看漫畫輕輕鬆鬆認識數學界名人！

數學趣話

不說不知！數學符號、公式及理論誕生的故事。

冒險故事

用數學去闖關的冒險故事，十分刺激啊！

腦筋運動營

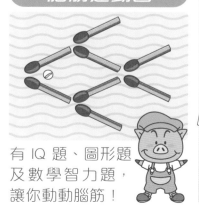

有 IQ 題、圖形題及數學智力題，讓你動動腦筋！

DIY 遊戲

每卷都有一款數學遊戲棋，自己製作，多人同玩，一起提升數學能力！

每卷書都會教你實用的「速算法」，可運用在學校功課和測驗中。

最後，M博士會拋出一些應用練習題考驗各位，此時就可運用速算法了！

一起努力吧！

目錄 Contents

 數學大事記 **94**

魔法學院米希羅

離奇連環失竊案

插圖：KAI

　　過去一個月內，學生宿舍接二連三發生幾宗離奇失竊案。風紀隊奉校長之命，在案件調查期間進行夜間巡邏。

　　今晚輪到莎貝拉和馬克當值。十分討厭巡邏的馬克抱怨：「唉，悶死人啦！小偷何時才落網啊？多虧他，害我要晚上巡邏！」「這小偷可不易抓，因為他的犯案日子和目標並不固定啊。」莎貝拉拿出魔法棒在空中畫圖，生動地描述這宗連環失竊案。

「第 1 宗失竊案發生於 **4 月 1 日**深夜，地點是 **117 號房**。翌日要參加魔法比賽的安妮，把**魔法棒**放在桌上後入睡，早上睡醒發現魔法棒不見了，害她失去比賽資格。

4 天後，**4 月 5 日**的深夜，**121 號房**的哥頓在浴室洗澡時，房間裏的**手提遊戲機**被偷走了，他才剛買不久呢！離奇的是，安妮的魔法棒出現在他的房裏，這令校方認為兩宗案件有**關聯**。

　　再過了 7 天，**4 月 12 日**深夜，**128 號房**的凱倫想擦亮心愛的紫色**高跟鞋**，她把鞋子放在牀邊，轉頭去鞋櫃取鞋刷，但回到牀邊時，只見哥頓的遊戲機，鞋子卻不翼而飛！

　　最近一次犯案是 10 天後的 **4 月 22 日**深夜，**138 號房**的愛瑪失去她最喜歡的**木顏色筆**，現場有一雙紫色高跟鞋。」莎貝拉道。

　　「唔？前一次的**贓物**，都**安然無恙**地出現在下一名受害者眼前呢！」馬克發現了失竊案的共通點。

「沒錯，此案另有兩個共通點——

① 小偷每次都在深夜 1 時左右下手，所以校長安排風紀隊每晚巡邏。

② 小偷每次都在犯案現場留下一張簽了名的字條，署名 **神偷 3x-2** 。」

「居然用 **代數式** 做名字，這小偷真是個怪人。」馬克覺得連串事件只是惡作劇，便 心不在焉 地打起呵欠來。

莎貝拉為了激起馬克的幹勁，**煞有介事** 地說：「不管是否惡作劇，只要捉到小偷，就不用再巡邏了！」巴不得盡快回房睡覺的馬克聽了這句話，精神為之一振，決定調查案件，並拿出記事簿，梳理案件詳情：

犯案次數	犯案日期	相差天數	目標房號
1	4 月 1 日	-	117
2	4 月 5 日	4	121
3	4 月 12 日	7	128
4	4 月 22 日	10	138

馬克直覺認為小偷按照某種 **規律** 來決定犯案日期和目標，只要找出規律，就能在小偷下次犯案時埋伏，當場 **人贓並獲**。

「神偷 3 x－2……3 x－2……」他反覆思考小偷的名字，又在紙上寫寫畫畫，過了一會，他興奮地大叫：「我想到了！」

「小偷下次的犯案日期是 **5 月 5 日**，即是今天，而目標是 **151 號房**！」

莎貝拉睜大眼睛，驚訝地說：「151 號房？不就是我的房間嗎？難道小偷想打 **小飛龍** 的主意？」

馬克看一看手錶道：「深夜 1 時已過，快點回房間看看吧！」

可是，當他們回到房間時，小飛龍已不見了，桌上放着愛瑪的木顏色筆。**神偷 3x-2** 來過了！

馬克立即往窗外看，只見一個穿斗篷的黑衣人手抱小飛龍，坐着 **飛天掃帚** 遠去。莎貝拉和馬克立即騎上飛天掃帚緊追，三人在漆黑的夜空展開一場 **追逐戰**。

馬克很快就追貼黑衣人，他拿出魔法棒，向前射出幾道激光，可惜都被他一一避開。莎貝拉見狀，心生一計，大喊：「小飛龍，**FIRE**！」小飛龍似乎明白莎貝拉的意思，隨即「熊」一聲地噴出 **火焰**，向黑衣人擊去！

「哇呀！」黑衣人一手扔開小飛龍，慌忙側身閃避火焰，卻失去平衡，變得**搖搖欲墜**，馬克見**機**不可失，俯身衝前，一手將他**逮住**。

　　原來小偷的真正身份是米希羅的學生**彼得**，他數學成績不錯，卻經常**搞蛋**。他想表現自己的數學才能，所以策劃了今次的連環竊案，但他無意盜取任何東西。雖然如此，校方最後決定委派有「**地獄老師**」之稱的撒克老師，在未來 6 個月裏專責**輔導**其品行，並**沒收**他的飛天掃帚及魔法棒作為懲罰。

　　莎貝拉問：「你怎會知道他在 5 月 5 日向 151 號房下手？」馬克解釋：「首先，我發現首 2 次案發相差 4 天，房號也相差 4，後來的案件也一樣，**案件相距的天數，等同房號的差距。**我再嘗試把不同數字**代入**『神偷 3 x－2』數式，發現 **x＝犯案次數**！由於第 4 次犯案在 4 月 22 日的 138 號房，所以……」

　　莎貝拉搶着回答：「所以，要找出第 5 次犯案的日期和目標，就要將犯案次數『5』代入『3x－2』的 x 位置中，即是 3×5－2 ＝ 13，這代表第 5 次犯案會在 4 月 22 日的 **13 天後**，即 5 月 5 日。而案發地點就是 138＋13 ＝ 151 號房。對吧？」

　　「真聰明！不愧是品學兼優的高材生。」馬克笑着說。莎貝拉也盛讚馬克說：「你才厲害呢，輕易就破解了這宗連環失竊案，今後我可要叫你『**馬克大偵探**』了！」

【完】

神偷名字暗藏玄機

化身為「神偷 3 x − 2」的彼得，自恃擁有數學天分，策劃一連串竊案，可惜被馬克抽絲剝繭，看破案件中的數學秘密！

> 我發現 x 是案發次數，代入 3 x − 2 中，得出的答案竟與「案發日期差距」及「房號差距」相同！

| April 1 | 相距 4 天 | April 5 | 相距 7 天 | April 12 | 相距 10 天 | April 22 | 相距 13 天 | May 5 |

| Room 117 | 房號 + 4 | Room 121 | 房號 + 7 | Room 128 | 房號 +10 | Room 138 | 房號 +13 | Room 151 |

| 第 2 次犯案 x = 2 3x − 2 = 4 | 第 3 次犯案 x = 3 3x − 2 = 7 | 第 4 次犯案 x = 4 3x − 2 = 10 | 第 5 次犯案 x = 5 3x − 2 = 13 |

第 1 次案發在 4 月 1 日，房號是 117。只要把 x ＝ 2 代入「3 x − 2」，答案便是 4。把 4 月 1 日加 4 天是 4 月 5 日，而 117 號房加 4 便是 121 號房，與第 2 次案件發生的日期及房號相同。

如此類推，只要把 x ＝ 3、x ＝ 4 代入「3 x − 2」，再計算一下，便能找出第 3 及第 4 次竊案的日期與房號！

由此可知，「神偷 3 x − 2」利用代數式來計劃犯案日期和地點。馬克發現了這一點，找出第 5 次竊案的日期與房號，成功破案。

> 考考你，如果我在 5 月 5 日晚盜竊成功，我會在哪月哪日和幾號房再次下手呢？

答案：將會是「6」次犯案，代入方程式，即 3×6 − 2 ＝ 16，這代表着在 5 月 5 日的 16 天後犯案，即 5 月 21 日，而案發地點應是 151 + 16 ＝ 167 號房。

趣味代數運動

本章的代數題有別於一般運算，不懂解答？別放棄！福爾摩斯和同伴們會給你提示，只要作不同嘗試，一定能發掘出答案！

運動一 花形分母

 解難重點 計算 ＋ 想像

以下是一條正確的算式，🌸 代表一個數字，這個數字是甚麼呢？

提示：假設算式是 $\frac{4}{6} + \frac{5}{6}$，由於分母相同，你可寫成 $\frac{4+5}{6} = \frac{9}{6}$，這分數也可寫成 $9 \div 6$ 呢！

$$\frac{1}{🌸} + \frac{2}{🌸} + \frac{3}{🌸} + \frac{4}{🌸} + \frac{5}{🌸} + \frac{6}{🌸} + \frac{7}{🌸} + \frac{8}{🌸} = 9$$

答案在第 18 頁

運動二 分麵包

有 100 人吃光了 100 塊麵包，大人 1 人吃 3 塊麵包，小孩 3 人分吃 1 塊麵包，請問大人、小孩各有幾人？

提示：
如右圖般，將 1 個大人 + 3 個小孩分成一組，情境就簡化成「一組 4 人吃 4 個麵包」了。按照這種分組方式，100 人能分成幾組？

*本題取自中國明朝（16 世紀）數學著作《算法統宗》，由愛好數學的商人程大位編著，原題「僧分饅頭」。

運動三 分糖果

小孩子們分配 40 顆糖果，每人所得的數目也不相同，試根據下列的對話，算出 4 人分別得到多少顆糖果。

我比阿猩少 3 顆糖果！

愛麗絲的糖果數目，是小樹熊的 2 倍！

我比小樹熊多 7 顆！

提示：解法不只一種。較簡單的解法是，先假設阿猩的數目是 y，那小樹熊就有 y－3 顆。如此類推，列出各人的糖果數目吧！

運動四 月曆九宮格

解難重點：圖像化思考 + 計算

狐格森不小心將墨水打翻在桌上的月曆，他擦乾淨了中間「9」那一格，圍繞着「9」的其餘 8 格卻擦不乾淨。

請問這圖中 9 格的日子加起來，總和是多少呢？

提示：一周有 7 天，如果今天是 x 號，那 x－7 就是 7 天前的日子，而 x＋7 就是 7 天後的日子。把前後 7 天的兩個日子相加，就是 x－7＋x＋7，可簡化成 x＋x，神奇吧？

運動五 砌砌餅乾塊

解難重點：理解圖形 + 計算

共有 48 塊餅乾，每塊長 1.5 cm、闊 2 cm，可砌成一個 9cm×16cm（6 塊 ×8 塊）的大長方形。

如改砌成正方形後，邊長是多少 cm？橫行和直行又分別有幾塊餅乾呢？

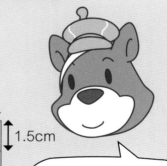

提示：正方形面積是「邊長²」，反過來説，如果正方形面積是 x，邊長就是 √x 了。圖中的大長方形面積是多少？

（圖：標示 2cm、1.5cm、9cm、16cm 的大長方形網格）

答案在第 18 頁

答案

運動一

如下所示，運用「同分母的分數加法」就能輕易解題。

$$\frac{1}{❀} + \frac{2}{❀} + \frac{3}{❀} + \frac{4}{❀} + \frac{5}{❀} + \frac{6}{❀} + \frac{7}{❀} + \frac{8}{❀} = 9$$

$$\frac{1 + 2 + 3 + 4 + 5 + 6 + 7 + 8}{❀} = 9$$

$$\frac{36}{❀} = 9$$

$$36 = 9 \times ❀$$

$$4 = ❀$$

運動二

將情境簡化成每組 4 人吃 4 個麵包，每組 1 個大人＋3 個小孩。可分成 100÷4 ＝ 25 組，每組 1 個大人，因此共有 25 個大人、100－25＝75 個小孩。

運動三

假設阿猩的糖果數目是 y，小樹熊就是 y－3，愛麗絲是 2(y－3)＝2y－6，小麻雀是 y－3＋7＝y＋4，糖果共有 40 顆，可列成以下代數式：

$$y + y - 3 + 2y - 6 + y + 4 = 40$$
$$y + y + 2y + y = 40 + 3 + 6 - 4$$
$$5y = 45$$
$$y = 9$$

所以，阿猩有 9 顆，小樹熊有 9－3＝6 顆，愛麗絲有 2×9－6＝12 顆，小麻雀有 9＋4＝13 顆。

運動四

答案是 81。除了逐格數出日子，你亦可按下圖的代數邏輯思考：

由於月曆的 7 天為一個循環，假設中央格的日子是 x，上面一格就是 7 天前，即 x－7，下面一格就是 7 天後，即 x＋7，上下格互相抵消，只剩下 x。如此類推，x 周圍的日子也互相抵消，最後剩下 9 個 x。

狐格森只看到月曆中央的 9 字，因此 9 格日子的總和是 9×9 ＝ 81。

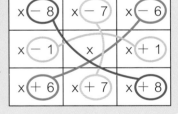

運動五

假設正方形邊長是 x，由於正方形的面積等如大長方形的面積，可寫成代數式：

$$x^2 = 16 \times 9$$
$$x^2 = 144$$
$$x = \sqrt{144}$$
$$x = 12$$

所以，改砌成正方形後，邊長是 12cm。

將 12 除以 2 cm 和 1.5 cm，便知道橫行有 6 塊，直行有 8 塊。如圖：

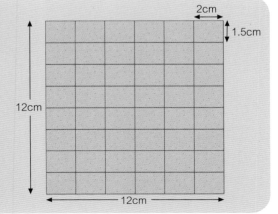

數學古籍方程式

　　中國數學著作《孫子算經》首次提出情景題「雉兔同籠」，到元代《算學啟蒙》（1299 年）及明代《算法統宗》（1592 年）稱為「雞兔同籠」。雞兔同籠概念東傳日本後，變成小學生皆知的「鶴龜算」。大家可用加減乘除及面積計算思維解題，還可用代數方程更快得到答案！

中國有趣代數題
雞兔同籠

大發現！兔子在中國古代數學中當過主角，還是傳頌至今，更影響日本數學界的「雞兔同籠」概念！

小兔子做得好！這是啟發思考的「兩個未知數」題，大家看看下一頁，數學解題可以千變萬化啊！

雉雞＋兔

全數 35 頭　全數 94 足

雞有兩足

兔有四足

那麼雉雞及兔，**各有多少隻**？

註：雉指一種雉雞。

原文　今有雉、兔同籠，上有三十五頭，下九十四足。問雉、兔各幾何？

→

現在籠內有雉雞及兔，從上看共有 35 個頭，從下看共有 94 隻腳，請問雉雞及兔子各有多少頭？

（白話文譯）

日本 鶴龜算

換了動物，但概念相同！

　中國將解決兩個未知數的算式，比喻為「雞兔同籠」。此算式 17 世紀東傳日本，後來日本人取鶴及龜是長壽象徵，「雞兔同籠」演變為計算鶴及龜多少頭的「鶴龜算」。

龜　　鶴

合共 100 頭

只知總數有腳 **272**

那麼鶴及龜，**各有多少隻**？

日本〈算法點竄指南錄〉（1815 年）

解法一 列表法

看！我列出關係表，不就是找到答案嗎？

答案：雉雞 23 隻、兔子 12 隻！

雉（隻）	34	33	32	31	⇨	24	23	22	⇨
兔（隻）	1	2	3	4	⇨	11	12	13	⇨
總腳數	72	74	76	78	⇨	92	94	96	⇨

如果是雞兔共 100 隻，雞兔的腳共有 272 足，雞兔各有多少隻？李大猩，慢慢列表給我看吧！

不知要用多少時間列表啊！

解法二 籌算法

看看《孫子算經》的解題

李大猩的方法只能處理較低的數量，《孫子算經》建議「把腳減半」（半其足），就能用算籌計出答案。

「上置頭，下置足，半其足，以頭除足，以足除頭，即得。」

① 上置頭
上擺算籌 35

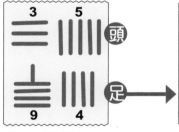

② 下置足
下擺算籌 94

④ 以頭除足
即 47 減 35

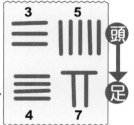

③ 半其足
把腳減半
至 47

⑤ 以足除頭
即 35 減 12

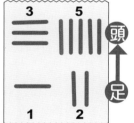

⑥ 即得
雉 23 隻

兔 12 隻

當時古算「除」視為「減除」，等如今日的「減法」。

◇◇◇◇◇ 破解「半其足」的思考法 ◇◇◇◇◇

　　假設每隻雞只抬起一隻腳，每隻兔子只抬起兩隻腳，腳的總數會由 94「半其足」（減半）為 47。這時再減去雞的一隻腳及兔子的一隻腳，即是原來 35 頭的腳數，變成「47 － 35 ＝ 12」，多出了 12 隻兔子腳，那麼代表有 12 隻兔子。

　　最後 35（總頭數）減 12 隻兔子，就知道雉雞有 23 隻。

元代《算學啟蒙》以替換法解題，還可列出算式！

全數 **100** 頭

全數 **272** 足

今有雞兔一百，共足二百七十二隻，只云雞足二、兔足四。問雞兔各幾何？

解題法為設兔求雞及設雞求兔。設兔求雞假設總頭數全是兔，發現「多了腳」就用雞換兔，歸納雞隻數目。

設兔求雞

「列一百以兔足，乘之，得數。內減共足，餘一百二十八為實。列雞兔足，以少減多，餘二為法而一。得雞，反減一百即兔。」

①列一百以兔足，乘之，得數。

假設 100 隻全部是兔，腳數為 400。

②內減共足，餘一百二十八為實。

再減實際總腳數 272，發現多了 128 足。

$$\frac{100\,(總頭數) \times 4\,(兔4足) - 272\,(總腳數)}{4\,(兔足) - 2\,(雞足)} = 雞隻數$$

③列雞兔足，以少減多，餘二為法而一。

用兔腳減去雞腳，兩者相差為 2 足。

④得雞。 再把「多出的腳」除以 2，知道要換多少隻雞，即 64 隻雞。

$$\frac{128\,(多出腳數)}{2\,(雞兔的腳相差)} = 64\,(雞的隻數)$$

⑤反減一百即兔。

反過來用一百去減 64 隻雞，就知道有 36 隻兔子。

$$100\,(總頭數) - 64\,(雞) = 36\,(兔的隻數)$$

設雞求兔假設總頭數全是雞，發現「缺少腳」就用兔換雞，歸納出兔的數目，然後也知道雞隻數目。

設雞求兔

「倍一百，以減共足。餘半之，即兔也。」

②以減共足 實際總腳數 272 減 200，缺少 72 足。

①倍一百 假設 100 隻全部是雞，腳數為 200。

$$\frac{272\,(總腳數) - 100\,(總頭數) \times 2\,(雞2足)}{4\,(兔足) - 2\,(雞足)} = 兔的隻數$$

④即兔也。

③ 餘半之 把「缺少的腳」除以兔與雞腳之差（即 2）。 即知兔的數目。

解法四 面積法

有趣的假設!

現代數學家用方程式(見下頁)解答「雞兔同籠」,日本小學生以「面積法」求解鶴龜算,並運用到本系列《平面・面積之卷》第 79 至 81 頁的圖形分割法及擴大法,舉一反三。

把雞兔同籠視為面積

我想通了!沿用左方《算學啟蒙》的問題,面積法大膽假設「雞」及「兔」組成「不規則圖形」,再求答案。

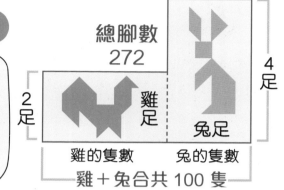

總腳數 272

雞足 / 兔足

2 足 / 4 足

雞的隻數 / 兔的隻數

雞+兔合共 100 隻

- 雞(2 足)乘以未知的隻數,加上兔(4 足)乘以未知的隻數,就是「總腳數」272,可假設為一個平面面積。
- 然後「設兔求雞」或「設雞求兔」,求出多了的「雞隻數」邊長,或少了的「兔隻數」邊長(見下圖),最後「反減一百」,即知另一隻的數目。

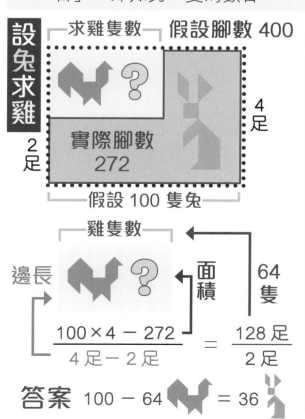

設兔求雞

求雞隻數 假設腳數 400

實際腳數 272

2 足 / 4 足

假設 100 隻兔

雞隻數

邊長 ← 面積 ← 64 隻

$$\frac{100 \times 4 - 272}{4\ \text{足} - 2\ \text{足}} = \frac{128\ \text{足}}{2\ \text{足}}$$

答案 100 − 64 = 36

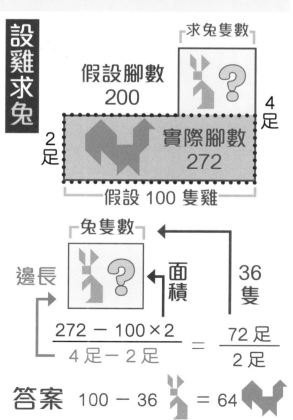

設雞求兔

求兔隻數

假設腳數 200

實際腳數 272

2 足 / 4 足

假設 100 隻雞

兔隻數

邊長 ← 面積 ← 36 隻

$$\frac{272 - 100 \times 2}{4\ \text{足} - 2\ \text{足}} = \frac{72\ \text{足}}{2\ \text{足}}$$

答案 100 − 36 = 64

解法五 二元一次聯立方程式 (Simultaneous Linear Equations)

方程式解題 方便易明！

我們常用一元一次方程式，即簡易方程式（Linear equation），去求解只有一個未知數（或稱為變數：Variable）的算式。遇上有兩個未知數的「雞兔同籠」，可用二元一次聯立方程式，運用代入法及加減消元法求解。

兩個未知數 x y

沿用《算學啟蒙》問題，即有雞的隻數（設為 x）及兔的隻數（設為 y）兩個未知數：

❶ x（雞）$+ y$（兔）$= 100$（隻）
❷ $2x$（雞）$+ 4y$（兔）$= 272$（足）

代入法
Method of Substitution

任選及計出一個 x 或 y 等如另一個代數的數值。	用 ① 代入 ② 的相關未知數，變成一元一次方程式去求解。

$$x + y = 100$$
$$x = 100 - y$$
或
$$y = 100 - x$$

$$2x + 4y = 272$$
$$2(100 - y) + 4y = 272$$
或
$$2x + 4(100 - x) = 272$$

加減消元法
Method of Elimination

將兩個方程式的 x 或 y，擴大或減少為至少有一個均等數值的未知數，從而可消去一個未知數，變成一元一次方程式去求解。

示範：改②去配合①

緊記必須消去一個未知數。

將兩算式均等數值的未知數相減，剩下一個未知數，就可求解。

❶ $x + y = 100$
❷ $2x + 4y = 272$

$$\frac{2x}{2} + \frac{4y}{2} = \frac{272}{2}$$

新**❷** $x + 2y = 136$

新**❷** – **❶** $= 136 - 100$
$$x + 2y - (x + y) = 36$$
$$x + 2y - x - y = 36$$
$$y = 36$$

24

今個月 有多少星期日？

　　星期日是快樂假期，可以自由自在休息或玩耍！

　　因公曆的一年 12 個月「大」、「小」不同，而且又有日子較少的 2 月，所以每個月的星期日數量是不同的，大家可試試用代數算出來啊！

- 大月：該月有 31 天，例如 1 月有 31 天。
- 小月：該月只有 30 天，例如 4 月只有 30 天，沒有 31 天。
- 2 月：基本有 28 天，閏年的 2 月有 29 天。

熟記 月份大小

數「拳頭關節位」，可牢記月份大小！

握拳後，隆起關節是「大」（31 天）、旁邊凹陷位是「小」（30 天），順序數數即知月份大小。

例：左拳

不計大拇指，由食指隆起關節「1 月大」數起，然後凹陷位是「2 月小」，再到中指隆起關節「3 月大」……到尾指隆起關節剛好是「7 月大」及「8 月大」，再倒轉數向無名指凹陷位是「9 月小」……最後到中指隆起關節為「12 月大」，這樣就不怕忘記了。

也可唸熟這個月份大小口訣，「臘」即「臘月」，12 月的古稱。

一三五七八十臘，三十一天永不差。
四六九冬三十天，
只有二月二十八，閏年二月把一加。

大月多少星期日 示例

該月天數是 28、29、30 抑或 31 天，以及該月第 1 天是星期幾，都會影響有多少個星期日。

	SUN	MON	TUE	WED	THU	FRI	SAT
第1週						①1	2
第2週	3	4	5	6	7	8	9
第3週	10	11	12	13	14	15	16
第4週	17	14	15	20	21	22	23
第5週	24	25	26	27	28	29	30
第6週	31						

該月的首天是星期五，就有 5 個星期日。

	SUN	MON	TUE	WED	THU	FRI	SAT
第1週		①1	2	3	4	5	
第2週	6	7	8	9	10	11	12
第3週	13	14	15	16	17	18	19
第4週	20	21	22	23	24	25	26
第5週	27	28	29	30	31		

該月的首天是星期二，就有 4 個星期日。

多少星期日 大月 方 程 式

　　觀察月曆發現，一個大月會有 5 或 6 週。不論該月有多少週，當中 3 個週，即第 2 至第 4 週必定是每週 7 天，第 1、第 5 和第 6 週的天數則不定。

當中 3 週必有 7 天　　大月第 5 週　　大月第 6 週

大月第 1 週 →　$x + 7 \times 3 + y + z = 31$ ← 大月 31 天

$x + 21 + y + z = 31$

加減消元法
兩邊都減 21 → $x + 21 + y + z - 21 = 31 - 21$

$x + y + z = 10$

　　大月第 1（x）、第 5（y）和第 6 週（z）的日數總和是 10。

　　若第 1 週首天是星期日，該週就有 7 天；若首天是星期六，該週只有 1 天，即 x 值必在 1 至 7 之間（$1 \leq x \leq 7$）。

　　x 值可影響 y 和 z 的值，第 1 週的天數會控制第 5 和第 6 週的天數。

計算示範（只適用於 31 天的大月）

　　10 減去 x 所得的差，全數撥入 y。即 10 天減去第 1 週的天數，撥入第 5 週。

▶ 　　由於每週最多只有 7 天，y 最大只能是 7（$y \leq 7$）。

▶ 　　當 $10 - x > 7$，y 最大只能是 7，餘下天數再撥入 z，即把第 5 週過多的天數，撥入第 6 週。

$10 - x \longrightarrow y \longrightarrow z$

【例：大月首天是星期日】

即第 1 週有 7 天，x = 7。
10 減去 x，即 $10 - 7 = 3$，得出 y = 3，z = 0。
該月只有 5 週，第 1 週有 7 天，第 5 週有 3 天，即該月有 5 個星期日。

第 1 週	SUN	MON	TUE	WED	THU	FRI	SAT
	1	2	3	4	5	6	7

【例：大月首天是星期六】

即第 1 週有 1 天，x = 1。
10 減去 x，即 $10 - 1 = 9$，而 $9 > 7$，所以 y = 7。
$z = 10 - x - y$，得出 2。
該月有 6 週，第 1 週有 1 天，第 5 週有 7 天，
第 6 週有 2 天，即該月有 5 個星期日。

第 1 週	SUN	MON	TUE	WED	THU	FRI	SAT
							1

這裡列出在 x、y 和 z 值的變化。知道了 x、y 和 z 值，就能知道該月有多少個星期日了。

表中紅色數字代表此週會有星期日。

首天是星期日

x＝7、y＝3、z＝0，第 1 週和第 5 週也有星期日，加上第 2 至 4 週的 3 個星期日，該月就有 5 個星期日。

首天是	第 1 週天數 x	第 5 週天數 y	第 6 週天數 z	多少星期日？
星期日	7	3	0	5 個
星期一	6	4	0	4 個
星期二	5	5	0	4 個
星期三	4	6	0	4 個
星期四	3	7	0	4 個
星期五	2	7	1	5 個
星期六	1	7	2	5 個

（第 6 週天數 z 欄：此週不存在）

星期日是每週的首天，所以：

- 第 1 週天數＝7，才有星期日，即 x＝7。
- 大月必有第 5 週，第 5 週必定會有星期日，即 y≧1。
- 若有第 6 週，也必定有星期日，即 z≧1。

從上表可見，若該月首天是星期五至日，第 2 至 4 週共有 3 個星期日，再加上第 1 及 5 週的 2 個星期日，總共 5 個星期日；另外，若該月首天是星期一至四，就只有 4 個星期日。

 **小月 方程式**

$$x + 7 \times 3 + y + z = 30$$
$$x + y + z = 9$$

看我，舉一反三！

在只有 30 天的小月，計算概念相同，只是 x、y 和 z 的總和變成 9。

二月 方程式

$$x + 7 \times 3 + y = 28 \qquad x + 7 \times 3 + y = 29$$
$$x + y = 7 \qquad\text{或}\qquad x + y = 8$$

	SUN	MON	TUE	WED	THU	FRI	SAT
第1週							1
第2週	2	3	4	5	6	7	8
第3週	9	10	11	12	13	14	15
第4週	16	17	18	19	20	21	22
第5週	23	24	25	26	27	28	29

	SUN	MON	TUE	WED	THU	FRI	SAT
第1週	1	2	3	4	5	6	7
第2週	8	9	10	11	12	13	14
第3週	15	16	17	18	19	20	21
第4週	22	23	24	25	26	27	28
第5週	29						

	SUN	MON	TUE	WED	THU	FRI	SAT
第1週		1	2	3	4	5	6
第2週	7	8	9	10	11	12	13
第3週	14	15	16	17	18	19	20
第4週	21	22	23	24	25	26	27
第5週	28	29					

平年 2 月（28 天）及閏年 2 月（29 天）的所有組合都沒有第六週，所以方程式刪去第 6 週（z），只用第 1 週（x）及第 5 週（y）去運算，閏年 2 月也可能有 5 個星期日呢！

魔法數學

歲數妙算

坊間有不少「可猜出玩者出生月份」的謎題，當中有開玩笑及認真的，先給大家開一個玩笑，下一頁再與大家一起用數學去玩一下「歲數讀心法」啊！

開玩笑算式　**你的出生年份 + 歲數 = 今年年份**

大家試試看，太巧合了～每個人得出的結果都一樣喔！

今年年份減去你的出生年份，不就是你的歲數嗎？這算式似乎是考你的邏輯分析力呢！

歲數讀心法

只要想着自己的歲數和出生月份，並依照以下算式計算，告訴我得出的數字，我就可用這個「讀心數字」，算出你的歲數和出生月份了！

* 想猜猜小兔子的生日？
請閱《大偵探福爾摩斯⑭縱火犯與女巫》（小兔子的生日）及《小兔子外傳苦海孤雛》。

讀心數字 ＝（歲數 × 2 ＋ 5）× 50 ＋ 出生月份

我連自己也不知道何年何月出生！不如當作自己出生於11月，現年6歲吧。

好的，我準備了，現在開始計算！

計吧！我一定能猜中的！

1	**2**	**3**	**4**

將歲數乘以 2。	然後加上 5。	再乘以 50。	加上出生月份。

小兔子心算

$$6 \times 2 = 12$$

$$12 + 5 = 17$$

$$17 \times 50 = 850$$

$$850 + 11 = 861$$

讀心數字「861」……你現年 6 歲，出生月份是 11 月吧？

好厲害！猜對了！

30

神奇！

福爾摩斯，你知道我為何能猜中嗎？

簡單，讀心數字 861 減 250 ＝ 611，就是 6 歲及 11 月出生了。

解謎

這個「魔法」其實是數字算法，設歲數為 x，出生月份為 y，可變成一條方程式：

$$讀心數字 = (2x + 5) \times 50 + y$$

歲數　　　　　　　　出生月份

將代入了 x 和 y 的讀心數字算式簡化，就會變成這算式：

$$(2x + 5) \times 50 + y$$
$$= 100x + 250 + y$$
$$= 100x + y + 250$$

求解

M 博士將讀心數字減去 250，得出 100x + y，就可推敲到 x 及 y 的數值。

在方程式的左右兩邊均等減去 250，就能發現：

 讀心數字　　　　　歲數　出生月份

$$861\ \boxed{-250} = 100x + y + 250\ \boxed{-250}$$
$$611 = 100x + y$$

福爾摩斯你果然了解我的想法！

「611」的百位或以上是歲數、十位和個位就是出生月份。

邏 輯 y 值必然是 1 至 12 之間

若把 y（月份）必須是 1 至 12 的條件，加入以上算式，可使用接近「二元一次聯立方程式」的思維，推論數值：

$1 \leq y \leq 12$
x 必須是整數，所以只有 y = 11 才能符合這條算式。
所以 x 是 6（歲）、y 是 11（月）。

$$611 - 100x = y$$
$$611 - 100x = 11\ \boxed{試試看}$$
$$611\ \boxed{-11} = 100x$$

x 必須是整數

$$600 = 100x$$
$$6 = x$$

就是如此！

以下由福爾摩斯接棒講 星期幾 計 算 法

本系列《加減乘除之卷》，用四則運算求出「明年生日是星期幾」，其實除了這個方法外，還可用代數概念去演算！

1881 年
一月

6

THURSDAY
星期四

19 世紀德國數學家蔡勒（Christian Zeller, 1822~1899），發明蔡勒公式（Zeller's Congruence）推算法，只須知道年月日，就能推算公曆上該天是星期幾。

與《加減乘除之卷》「明年生日星期幾」的方法比較，蔡勒公式的優點有：

- 不用查考閏年與閏日。
- 減少繁瑣：一條公式計到底。

◇◇◇◇◇◇◇◇◇ 蔡勒公式（Zeller's Congruence）◇◇◇◇◇◇◇◇◇

算式有 5 個未知數，將 c、y、m 和 d 代入算式，求出 W。

$$W = \left[\frac{c}{4}\right] - 2c + y + \left[\frac{y}{4}\right] + \left[\frac{26 \times (m + 1)}{10}\right] + d - 1$$

W 算出星期幾的關鍵數字　c 年份的前 2 位數　y 年份的後 2 位數　m 月份　d 日子

最後將 W 除以 7，餘數：
1 就是星期一
2 就是星期二，
如此類推……
餘數是 0 代表星期日。

例如算出 W 是 8

8 ÷ 7 = 1…1

答案：1（商數）…1（餘數），該天是星期一。

利烏斯

大偵探
福爾摩斯
提升數學能力讀本
度量衡之卷

此公式只適用於 1582 年 10 月 15 日或以後頒行的公曆（格里曆）。我在本系列《度量衡之卷》漫畫〈曆法大改革〉會解說格里曆的來由啊！

蔡勒公式運算規則

1 m 的值必在 3 至 14 之間（3 ≦ m ≦ 14）

1月	**2月**	3月	4月	5月	6月……
↓	↓				
上年的第 13 個月	上年的第 14 個月				

若果月份是 3 月至 12 月之間（含 3 及 12 月），m 的數字就是該月份的數字，例如 3 月即 m 是 3。當 1 月及 2 月時，m 分別當作前一年虛擬的第 13 及第 14 月。例如 2022 年 1 月，就是 2021 年 13 月。

2 高斯符號

（floor and ceiling functions）

示例 $\left[\dfrac{7}{4}\right] = 1$

算式中 $\left[\dfrac{c}{4}\right]$、$\left[\dfrac{y}{4}\right]$ 和 $\left[\dfrac{26 \times (m+1)}{10}\right]$ 的 [ ]，稱作高斯符號。這代表取整，即只取除數中「商」的整數部分，而不理小數或餘數。

7÷4 等如 1.75，或 1…3，即「商數 1、餘數 3」，$\left[\dfrac{7}{4}\right]$ 就等如 1。

學懂了，由我示範！

以 2022 年 1 月 1 日為例，計算這天是星期幾吧！2022 年 1 月 1 日看為虛擬的 2021 年 13 月 1 日，即 c = 20、y = 21、m = 13、d = 1。

$$W = \left[\dfrac{20}{4}\right] - 2 \times 20 + 21 + \left[\dfrac{21}{4}\right] + \left[\dfrac{26 \times (13+1)}{10}\right] + 1 - 1$$

$$= 5 - 40 + 21 + 5 + \left[\dfrac{364}{10}\right] + 1 - 1$$

$$= 5 - 40 + 21 + 5 + 36 + 1 - 1$$

$$= 27$$

← $\left[\dfrac{20}{4}\right]$、$\left[\dfrac{21}{4}\right]$ 和 $\left[\dfrac{364}{10}\right]$ 分別等如 5、5 和 36。

將 W 除以 7，即 27÷7 = 3…6，餘數是 6，所以 2022 年 1 月 1 日就是星期六了！

2022 年 一月
1
SATURDAY
星期六

利用此公式，不用翻查《萬年曆》都可知道某日是星期幾。

雙骰讀心術

就算你背着我擲骰，我也能猜出你擲出的2顆骰子的點數是多少！

骰子的數字奧秘

正方體骰子的任何一面點數，與其對面點數相加，必定等如7，例如6對面一定是1，相加為7。

市面上的傳統骰子皆含此特徵，不妨觀察一下本系列《加減乘除之卷》DIY遊戲的紙骰！

不只有六面的骰子

除了六面的正方體外，古今中外亦出現過其他立體的骰子，例如正八面體和正十二面體等，埃及更出土公元前4世紀的正二十面體骰子呢！

你還記得正二十面體的模樣嗎？詳閱本系列《立體·體積之卷》第25頁全5種柏拉圖立體。

❶ 先準備 2 顆骰子，分別擲出點數，把 2 個數字順序寫在紙上。

擲骰和寫數字時，別讓我看到！

骰子頂部的點數分別是 1 和 2，因此要在紙上寫 12。

❷ 再看看骰子底部的點數，將底部的數字，按順序寫在❶的兩個數字後方，組成 4 位數。

骰子4位數
1265

反轉骰子看**底部**，點數分別是 6 和 5，順序寫在 12 後面，骰子4位數就是 1265。

❸ 將骰子 4 位數除以 11，得出答案「魔法數字」。請說出魔法數字！

1265 ÷ 11 = 115

魔法數字是 115！

```
        115
  11 ) 1265
       11
       16
       11
       55
       55
```

呵呵…我懂了…你最初擲出的點數是 1 和 2，我說中了吧！

太神奇了！為甚麼你會知道的？

破解雙骰讀心術

只要明白骰子的特性和以下的方程式，你也能「讀心」！

　　假設最初擲出的 2 個點數順序排列成 x。愛麗絲最初擲出 1 和 2，順序排列即 x ＝ 12。以下先圖解骰子特性，再說明如何用方程式求出 x：

骰子的特性——相對兩面之和為 7

　　如前兩頁所指，傳統骰子的相對兩面點數相加，必定等如 7。

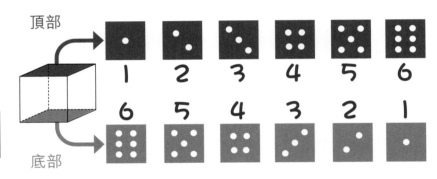

頂部

底部

　　因此，77 減去頂部點數組成的兩位數，就等如底部的點數，即 77 － x。愛麗絲擲出 1 和 2，底部就是 77 － 12 ＝ 65。

77 － x ＝ 底部點數
77 － 12 ＝ 65

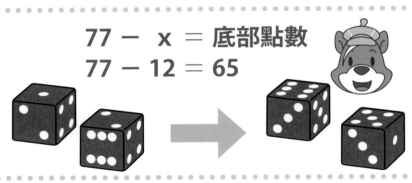

骰子 4 位數

骰子 4 位數
1265
千 百 十 個

　　在上一頁第❷步，愛麗絲用頂部及底部點數組成一個 4 位數，這 4 位數可用以下算式表示：

$$100x + (77 - x)$$

將頂部點數 x 放在 4 位數的千位和百位，即是將 2 位數 x 擴大 100 倍。

將底部點數（77 － x）放在 4 位數的個位和十位。

驗 算　　以愛麗絲的骰子 4 位數作例，1265 可寫成 1200 ＋ 65，代入以上算式，便是 100×12 ＋（77 － 12）。

在第❸步，我將「骰子4位數」除以 11 得出魔法數字。為何 M 博士知道這4位數一定**能整除**？

只要**簡化**上頁的骰子4位數算式，就能知道「除以 11」的原因。

簡化算式

99 和 77 的公因數是 11 ➡

$$
\begin{aligned}
\text{骰子 4 位數} &= 100x + (77 - x) \\
&= 100x - x + 77 \\
&= 99x + 77 \\
&= 11(9x + 7)
\end{aligned}
$$

由此可見，$100x + (77 - x)$ 可簡化成 $11(9x + 7)$，證明骰子4位數必定能被 11 整除。骰子4位數除以 11 後，剩下 $(9x + 7)$ 就等如 M 博士口中的「魔法數字」。

到底我算出來的「魔法數字」有甚麼用呢？

呵呵……只要愛麗絲說出「魔法數字」，我就能用方程式求出 x 了！

$$
\begin{aligned}
\text{魔法數字} &= \text{骰子 4 位數} \div 11 \\
115 &= 1265 \div 11 \\
115 &= 11(9x + 7) \div 11 \\
115 &= 9x + 7 \\
108 &= 9x \\
12 &= x
\end{aligned}
$$

愛麗絲所知道的

M 博士所知道的

代入魔法數字，就能求出 x = 12，從而知道愛麗絲的擲骰點數是 1 和 2。

$$
\begin{aligned}
\text{魔法數字} &= 9x + 7 \\
\text{魔法數字} - 7 &= 9x \\
\frac{\text{魔法數字} - 7}{9} &= x
\end{aligned}
$$

M 博士的「雙骰讀心術」可歸納成以上方程式，你也來跟同學玩玩吧！

代數故事與百年難題

　　古巴比倫、古希臘及中國都有類似代數數學的概念，到中世紀阿拉伯世界將代數發揚光大，後來經過歐洲數學家的努力研究，16 及 17 世紀又傳到中國及日本。而現代數學家更用科技，解答了數百年的難題：費瑪大定理！

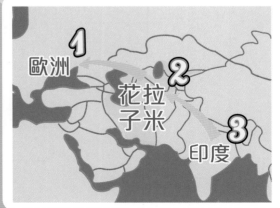

歐洲
1
花拉子米
2
印度
3

阿拉伯數字傳入歐洲

　　中世紀花拉子米引進印度數學到阿拉伯，其《印度算術加減法》一書提及十進制數字 1 至 9 及 0，幾百年後歐洲翻譯此書為拉丁本，當時歐洲全盤接受這種易記易寫的數字，並稱之為「阿拉伯數字」。阿拉伯數字系統實際源於印度，並非由阿拉伯所創。

丟番圖 代數之父

【希臘數學家】丟番圖（Diophantus）

希臘數學家丟番圖的生平記錄寥寥可數，其生卒年份不詳，只知他約於 200 年至 214 年其間出生，於 284 年至 294 年其間身故。一塊傳說屬於他的基碑上刻有數學題，流傳至今。

從《算術》裡，我想到「費瑪大定理」！

Arithmetica
《算術》

丟番圖長期於希臘亞歷山大城（Alexandria）研究數學，當時正值亞歷山大城的輝煌時期，丟番圖研究的「代數學」見諸著作《算術》（Arithmetica），啟迪後世數學家阿爾·花拉子米及費瑪的代數理論，所以丟番圖又有「代數之父」（father of algebra）美譽。

在丟番圖時代尚未有數學符號，他在《算術》書中，嘗試以簡化符號取代冗長的算式；也試圖納入未知數和次方數為數學，為後世孕育代數思維。

有關十－×÷數學符號的誕生，請看本系列《加減乘除之卷》。

丟番圖方程（Diophantine equation）

《算術》記錄「丟番圖方程」，丟番圖要求未知數方程式要有「整數解」（integer solution），不能出現小數。這種方程式有幾條等式（equality），等式的數量一般少於未知數的數量；他更介紹如何找出符合所有等式的整數組合，這種思考方法稱為「丟番圖問題」（Diophantine problems）。

前述的「雞兔同籠」問題，若不知道「雞兔」共有 100 隻，只知共有 272 足，右方方程式的 x（雞）及 y（兔），就可以有很多的組合。

$$2x_{（雞）} + 4y_{（兔）} = 272_{（足）}$$

整數組合示例

雞 100 隻、兔 18 隻；
雞 50 隻、兔 43 隻；
雞 10 隻、兔 63 隻等等。

丟番圖 墓誌銘方程式

在墓碑刻上離世者的生平簡介，稱為「墓誌銘」（epitaph）。

有說丟番圖的墓誌銘是一則代數謎題，透過生平述史展示丟番圖的代數理論，成為今日研習代數的必學題目。

「上帝給丟番圖的童年佔了一生的 $\frac{1}{6}$，加上人生的 $\frac{1}{12}$ 到青年，就長鬍子。

他再過人生的 $\frac{1}{7}$ 就結婚，

5 年後生了兒子。

遺憾地，兒子在他一生的一半時離世，在兒子離世後 4 年，他完結了一生。」

童年 $\frac{1}{6}$ x

大家設定丟番圖的壽命為 x，用簡易方程，就可推算答案。

兒子離世時年齡 x − 4

長鬍子年齡 $\frac{1}{6} x + \frac{1}{12} x = \frac{1}{4} x$

結婚年齡 $\frac{1}{4} x + \frac{1}{7} x = \frac{11}{28} x$

兒子出生時的年齡 $\frac{11}{28} x + 5$

丟番圖兒子的壽命是丟番圖的一半，即 $\frac{1}{2}$ x。

方程式①

━━丟番圖兒子的壽命━━

丟番圖的兒子在他 $(\frac{11}{28} x + 5)$ 歲時出生，（x − 4）歲時逝去，他兒子離世時的年齡是：

$(x - 4) - (\frac{11}{28} x + 5)$
$= x - 4 - \frac{11}{28} x - 5$
$= \frac{17}{28} x - 9$

方程式②

丟番圖的壽命・答案

$\frac{1}{2} x = \frac{17}{28} x - 9$

可計出 x 是 84。

$9 = \frac{17}{28} x - \frac{1}{2} x$ 通分→ $\frac{14}{28} x$

$9 = \frac{3}{28} x$ 求 x⟶ $x = 9 \times \frac{28}{3}$

丟番圖兒子的壽命・答案

已知 x = 84，$\frac{1}{2}$ x 即丟番圖兒子享壽 42 年，在丟番圖 38 歲時出生，到丟番圖 80 歲時離世。

解答到 x 值後，其他代數算式全部迎刃而解！

Algebra 與 代數身世

今日數學界稱讚花拉子米有系統地解答代數運用概念，所以認為他的貢獻可與丟番圖並稱為「代數之父」。

花拉子米

阿布·花拉子米
Al-Khwarizmi
約 780 年至約 850 年

中世紀阿拉伯世界的數學研究興旺，當時的數學家阿布•花拉子米（Al-Khwarizmi）流傳生於今日烏茲別克斯坦及土庫曼斯坦的古國「花拉子模」，雖然他的事蹟記錄不多，但其數學著作對當時全球數學界而言是革新動力。

英文 Algebra 的源流

花拉子米有兩本巨著，其一《Al-jabr wa'l muqabalah》（還原與對消計算）是首次系統解說「代數求解秘訣」：即 al-jabr（還原）及 muqabalah（對消或簡化）計算法，傳入歐洲後譯成拉丁文《Liber algebrae et almucabala》，阿拉伯文 al-jabr 演化至英文 algebra，最後由李善蘭譯成「代數」。

現代英語大多源於拉丁文啊！

花拉子米活用書中的生活數學題，例如僱主支薪、分配遺產，介紹運用「還原與對消」法。

財主遺囑把駱駝賣出，得 80 迪拉姆。當中 $\frac{1}{4}$ 給朋友，$\frac{1}{8}$ 給妻子，其餘的均分予 3 名兒子，到底兒子得多少？

80 迪拉姆
（當時貨幣單位）

$$\overset{\text{朋友}}{\underset{\underset{\text{簡化}}{1}}{\overset{20}{\frac{\cancel{80}}{\cancel{4}}}}} + \overset{\text{妻子}}{\underset{1}{\overset{\overset{10}{\cancel{80}}}{\cancel{8}}}} = \overset{\text{總數}}{80} - \overset{\text{三名兒子}}{3x}$$

假定兒子的配額是 x，總數 80 減去 3x，就等如遺產分給朋友及妻子後的餘數。

還原：把負數轉去另一邊為正數。

$$3x + 20 + 10 = 80 \boxed{-\ 3x}$$

對消：在兩邊減去均等的正數。

$$3x + 30 \boxed{-\ 30} = 80 \boxed{-\ 30}$$

求出 $x = 16\frac{2}{3}$ → $3x = 50$

難倒了康熙帝的
阿爾熱巴拉新法

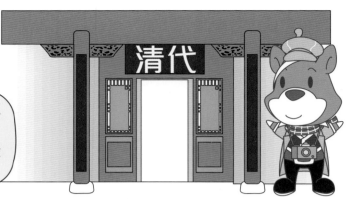

> 康熙帝堪稱是數學水平最高的中國皇帝，但他都表示代數「最難明白」！

西方數學傳入中國，取 1 至 2 世紀《九章算術》內「方程」一詞，作為 equation 的中文譯詞，至於 algebra 的中譯變化較多。

清康熙帝喜好西洋數學，當時來華傳教士介紹花拉子米的代數學說，編譯為《借根方算法節要》，並得康熙帝接納編入為數學百科全書《數理精蘊》內。這時 algebra 意譯為「借根方比例」，定義為「借根方者，假借根數方數，以求實數之法。」，即不用假設符號代入運算求解。

後來傳教士傅聖澤更介紹以符號設定未知數去運算代數，這時把 algebra 音譯為「阿爾熱巴拉」。傅聖澤著書《阿爾熱巴拉新法》，建議用中國天干地支為代數符號，新法比舊法（借根方比例）更好用。

阿爾熱巴拉新法 代數

傅聖澤用甲＝a、乙＝b 表達
$$(a + b)^2 = a^2 + 2ab + b^2$$

> （甲＋乙）²
> ＝（甲＋乙）×（甲＋乙）
> ＝甲（甲＋乙）＋乙（甲＋乙）
> ＝甲甲＋甲乙＋甲乙＋乙乙
> ＝甲甲＋二甲乙＋乙乙

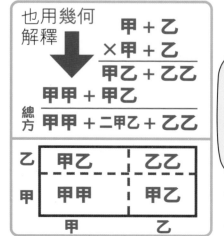

也用幾何解釋

	甲＋乙
×甲	＋乙

甲乙＋乙乙
甲甲＋甲乙
總方　甲甲＋二甲乙＋乙乙

	甲	乙
乙	甲乙	乙乙
甲	甲甲	甲乙

不過，號稱博聞強記的康熙帝，對代數抽象概念束手無策。

清 康熙帝
1661~1722

> 朕自起身以來，每日同阿哥等察阿爾熱巴拉新法，最難明白。他說比舊法易，看來比舊法難……

朕：皇帝專用自稱。
同阿哥等察：與眾皇子一起研究。
他：傅聖澤。

> 甲乘甲、乙乘乙，總無數目，即乘出來亦不知多少。

總無數目：怎樣計算也沒有實際數字。

42

日本和算「算聖」
關孝和 1642~1708

解隱題之法

解見題之法

解伏題之法

日本早在 17 世紀江戶時代以前，備受中國傳來的算經，例如《九章算術》及《算學啟蒙》薰陶。江戶時代數學家關孝和，從中國數學體系中另闢蹊徑為「和算」（日本數學），其相關著作《發微算法》、《括要算法》及《三部抄》提及不少幾何及代數求解過程。

組成《三部抄》的《解見題之法》、《解隱題之法》及《解伏題之法》，當時成為「關流」（關孝和流派）的數學入門課本，今日日本數學界更尊稱關孝和為「日本算聖」。

在代數概念當中，關孝和改進中國傳統的天元術算法，開創和算獨有的籌算代數，在《解隱題之法》提及「立元第一」（設立未知數），並以行列式概念，通過簡化與相消解題。

解隱題之法概念示例

《三部抄》提出符號代表數字，並在方程式上循序漸進求解，例如最簡單以消去籌算（相加、相減）去運算加法：

加法 異名相減，則同名相加。

異名相減　「正負號相反」（異名）的兩數相加，如 $x + (-y)$ 就是 $x - y$。

同名相加　「正負號相同」（同名）的兩數相加，如 $-x + (-y)$ 就是 $-(x + y)$。

正無入正之、負無入負之
正數加零（無）仍是正數、負數加零（無）仍是負數。

解伏題之法解題模式

有說關孝和是首批以行列式理論研究方程的人，在《解伏題》一書訂明以下解題步驟。

- **真虛第一**：設定真數（要求解的未知數，例如 x）及「虛數」（幫助求解 x 的未知數，例如 y），然後列出含有眾多未知數的方程。

$$x + y = 7$$
$$x^2 + y^2 = 25$$

如要求 x 值，x 是真數，y 就是幫助求 x 的虛數。

- 然後是**兩式第二**、**定乘第三**、**換式第四**、**生剋第五**、**寄消第六**，透過簡化及對消求解。

李善蘭 東方的代數

李善蘭 1810~1882

阿爾熱巴拉在中國沉寂了多年，直至 19 世紀中國出現改變現代華文世界的數學家 —— 李善蘭，他自少精通《九章算術》、《幾何原本》頭 6 卷，1852 至 1866 年受聘於傳教士在上海開辦的「墨海書館」，翻譯《代數學》、《代微積拾級》及《幾何原本》（後 9 卷）等，此等譯著正式將代數學傳入中國民間。

我也有翻譯植物學的書！

為何叫「代數」？

李善蘭認為以往計算時遇上冗長的已知數，所以用「周」為「代」號，避寫圓周率（π）「三·一四一五九二七」。同樣可以「用字代數、或不定數、或未知之定數，俱以字代之。」

周 ☑ 代 ↓ 數
三·一四一五九二七
─────────────
字 ☑ 代 ↓ 數
數、不定數、未知之定數

開創現代數學名詞

Algebra

音譯 ✗ 阿爾熱巴拉　意譯 ✓ 代數

李善蘭與傳教士偉烈亞力（Alexander Wylie）合譯《代數學》，將英文 algebra 譯為「代數學」，中文「代數學」由而誕生。

東傳日本

constant
function
variable
curve

除「代數」外，李善蘭從實際出發，將數百個數學名詞譯為易記的會意詞。《代數學》、《代微積拾級》東傳日本後，日本數學界也直接使用部分名詞呢！

示例

unknown	未知數
constant	常數
variable	變數
function	函數
differential	微分
integral	積分
coefficient	系數
tangent	切線
similarity	相似
polynomial	多項式

解謎 250 年 五次代數方程不可解

以下是經一眾數學家的數百年努力，最終解決了的兩個數學難題。

五次代數方程？？ ？？費瑪猜想

根式解

方程式有根式解（radical solution），即「代數可解」，例如 $8x^2$ 中的系數（coefficient）是 8，用系數的加、減、乘、除或開根號，可表示方程式的「根式解」。

例如當 a 不等如 0，一次方程式的根式解：

$$ax + b = 0 \text{ 的解是 } x = -\frac{b}{a}$$

左例二次方程的根式解：

$$x = \frac{-b \pm \sqrt{b^2 - 4ac}}{2a}$$

證明三次方程式有沒有根式解，就開始困難了！

同樣，假設 a 不等如 0，二次、三次及四次方程式的根式解愈來愈複雜，

二次方程式 $ax^2 + bx + c = 0$

三次方程式 $ax^3 + bx^2 + cx + d = 0$

四次方程式 $ax^4 + bx^3 + cx^2 + dx + e = 0$

解開五次方程的 少年奇才

15 世紀開始，歐洲數學界已展開討論三次方程式有沒有根式解。到 16 世紀中，多位數學家相繼證明「三次及四次方程式都存在根式解」，但大家仍未定案「五次方程式是否存在根式解」，直到二百多年後的 19 世紀，挪威人阿貝爾在 1824 年發現「五次或以上的代數方程沒有代數解」。

五次方程式

$$ax^5 + bx^4 + cx^3 + dx^2 + ex + f = 0$$

尼爾斯 • 阿貝爾
(Niels Henrik Abel)
1802~1829

阿貝爾自少數學天資聰穎，後期自費研究「五次方程難題」，發現五次代數方程不存在根式解，其理論後世稱為阿貝爾－魯芬尼定理，英文 Abel-Ruffini theorem （ 或 Abel's impossibility theorem）。

阿貝爾因為清貧，積勞成疾，27 歲就去世了，但他的貢獻相當大。

解謎 365 年 費瑪大定理

第 39 頁提及費瑪看過丟番圖著作《算術》，1630 年他的「費瑪猜想」經過 365 年後獲證，成為健力士世界大全中解謎時間最長的數學難題（longest-standing maths problem）。

費瑪 1601~1665

丟番圖《算術》

$x^n + y^n = z^n$
$n > 2$
整數解 ✗

丟番圖的《算術》（Arithmetica）啟發費瑪，令他想出一個代數問題，代數史上稱作「費瑪猜想」（Fermat's conjecture），乃不少數學家窮其一生挑戰的難題。

費瑪提出「費瑪猜想」後，仍不斷鑽研數學，例如本系列《分數‧小數‧百分數之卷》漫畫介紹過的概率論。

費瑪猜想 ➡ 費瑪大定理

費瑪假定 $x^n + y^n = z^n$
當 $n > 2$，
就沒有整數的組合。
（no three positive integers）

$n = 1$ 及 $n = 2$，x y z 都有整數答案組合。

試試看，n 在 3 或以上，是找不到整數解！

我有美妙的證法去解讀，不過書*上沒有空間，所以寫不下了。
*編按《算術》

$x^1 + y^1 = z^1$
答案可以 x = 1、y = 2、z = 3

$x^2 + y^2 = z^2$
答案可以 x = 3、y = 4、z = 5

當 n = 2，這不就是畢氏定理（勾股定理）嗎！

如此類推⋯⋯

$x^3 + y^3 \neq z^3$
$x^4 + y^4 \neq z^4$

1630
⇩
1995

終於證實我想的正確！

費瑪沒有留下證據，他的猜想吸引後世數學家解謎，不過只能證實部分正確；直至 1995 年，英國數學家安德魯•懷爾斯（Andrew Wiles）積累前人理論，寫了 150 頁論文，終闡明費瑪猜想無誤，此說就成為費瑪大定理或費瑪最後定理（Fermat's last theorem）。

零存整付方程式

在本系列《分數‧小數‧百分數之卷》第 39 頁介紹過銀行儲蓄有普通的「定期存款」及新派的「零存整付」計劃。銀行大多鼓勵兒童戶口以「零存整付」儲蓄，兒童只需每月小額供款，就可享受「複息」計算，從而培養兒童的儲蓄習慣。

計算零存整付「每月供款」或「本利和」的算式，遠比普通「複息制」繁複，大家要集中精神去看啊！

普通定期 vs 零存整付

以下用 1 萬元為本金，比較在同一年利率，普通定期存款與零存整付的差別。

普通定期存款 複息制 compound interests

$$A = p\ (1 + r\%)^n$$

假設年利率 5%

A = amount
本利和：本金＋利息的總和。

p = principal
本金：存款金額。

n = number of periods
存款周期：1 年外，也有 1 至 3 及 6 個月等。

r = rate
利率：銀行在每個存款周期所付的利息。

小兔子把 1 萬元存為定期存款，每 6 個月自動續期，打算在 2 年（4 期）後取回本利和，結果可取回 $11038。

若每一期以多少個月計，要把年利率按比例計算，半年的利率，就是年利率減半。

$$10000 \times (1 + 5\% \times \frac{6}{12})^4$$
$$= 10000 \times 1.025^4$$
$$= 10000 \times 1.1038 \quad \text{（準確至小數後 4 位）}$$
$$= 11038$$

零存整付 installment saving 以每期供款計出本利和

$$A = p\ (1 + r\%) \times \frac{(1 + r\%)^n - 1}{r\%}$$

若果小兔子資金不足，打算用 2500 元開始，每 6 個月存入 2500 元，共 4 期（即 2 年）存入 1 萬元，滿 2 年可取回本利和約 $10641。

兩者利息相差達 397 元！

$$A = 2500\ (1 + 5\% \times \frac{6}{12}) \times \frac{(1 + 5\% \times \frac{6}{12})^4 - 1}{5\% \times \frac{6}{12}}$$

第一期的本利和

$$A = 2500 \times 1.025 \times \frac{1.025^4 - 1}{0.025}$$

$$A = 10641 \quad \text{（準確至整數）}$$

每半年只供款 2500 元，比一次過付上 1 萬元，負擔少了！

右方拆解方程式構想

零存整付方程式

4 期結束的本利和

四期	2500×1.025
三期	2500×1.025^2
二期	2500×1.025^3
+ 一期	2500×1.025^4

約 10641

拆解小兔子的零存整付,可看作「四個普通定期的本利和」。

這樣看較易懂!

四個 $2500 的「本利和」相加的時候,構成「等比數列」(geometric progression)的關係,計算零存整付時,就用「等比數列」計出本利和。

以目標本利和計出每期供款

左方證明了同樣 1 萬元本金,經歷 2 年,零存整付滾存利息時間比普通定期存款短,所以前者利息也較少,但首期付出也較少。

若想知道達到目標本利和之每期供款金額,也可用簡易代數形式求出答案。用左頁例子:每 6 個月一期及每期均一年利率 5%,小兔子希望 2 年(4 期)後的本利和是 10641 元,那每期(半年)最少供款多少?

目標本利和　每期供款　年利率　6 個月一期　　　　　期數

$$10641 = \boxed{p}\left(1 + 5\% \times \frac{6}{12}\right) \times \frac{\left(1 + 5\% \times \frac{6}{12}\right)^4 - 1}{5\% \times \frac{6}{12}}$$

等比數例算式＝公比　　　每期年利率

$$10641 = 1.025p \times \frac{1.025^4 - 1}{0.025}$$

$$10641 = 1.025p \times 4.152515625$$

$$\frac{10641}{4.152515625} = 1.025p$$

$$2562.54303 = 1.025p$$

$$2500 = p \text{（準確至整數）}$$

考考你:銀行年利率 5%,每半年一期,分 4 期供款,目標本利和 1 萬元,小兔子每期最少供款多少?(答案見下)

腦筋運動營

挑戰趣味智力題

看完一堆算式，會不會感到頭昏腦脹？來玩玩智力題，幫腦筋鬆一鬆，突破數字的框架吧！別讓算式限制邏輯思維啊！

運動一 錯誤的算式

試只加一條斜線，使以下算式變得正確。

$$1 + 3 + 5 = 148$$

提示：你可將符號變成數字，或將符號變成相反意思。

運動二 渡河要小心

解難重點 推理 + 分析

在郊外，福爾摩斯收到一袋蔬菜作破案的謝禮，恰巧在路上發現受傷的小兔子，然後，又遇到從牧場走失的綿羊。

福爾摩斯走捷徑，划艇過河，到了牧場就能幫小兔子療傷。

要怎樣來回渡河，才能將蔬菜、小兔子和綿羊全部帶到對岸呢？

- 小艇只有 2 個座位。
- 福爾摩斯、小兔子、綿羊、蔬菜各佔用 1 個座位。
- 小兔子受了傷，不能拿着蔬菜上船。他也答應福爾摩斯，不會偷偷吃掉蔬菜。
- 不可把綿羊和蔬菜留在岸上，因為綿羊會吃掉蔬菜。
- 不可把綿羊和小兔子留在岸上，因為小兔子會跟綿羊鬧着玩，嚇跑綿羊。

提示 A：不計划艇的福爾摩斯，最初和最後坐船的都是綿羊。
提示 B：綿羊總共坐了 3 次船。

答案在第 54 頁

運動三 無字小數獨

圖像化思考 + 推理

請將 4×4 的格子填滿頭像，每一橫行、每一直行都不可重複，同一顏色的 2×2 方形內亦不可重複。

提示：福爾摩斯旁邊必定是華生。

如果換成數字來看，右圖所示，福爾摩斯＝1，華生＝3，那麼 1 旁邊必定是 3。

運動四 寶箱解碼

理解圖形 + 觀察

愛麗絲面前有一個寶箱，要輸入圖形密碼才能打開，試根據以下 4 個圖形順序的提示，猜出「？」是甚麼圖形。

提示：將圓點分開上下 2 行來看，上行是顏色變化，依序：白→黑→白→黑，下行則是點的數目變化，依序：1→2→3→1。

運動五 直式空洞

解難重點 推理 + 計算

下圖是一道除法算式,當中的空格遭留空了,你知道空格內的數字是甚麼嗎?

提示 A:根據九九乘數表,只有兩種組合能乘出 9 字。

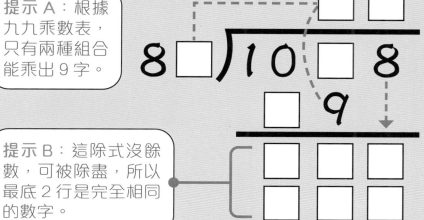

提示 B:這除式沒餘數,可被除盡,所以最底 2 行是完全相同的數字。

提示 C:最右端的 8 字留待橫線之下計算。

運動六 正方形 5 變 3

解難重點 圖像化思考 + 理解圖形

用 6 根火柴可拼出一個田字,內含 1 個大正方形和 4 個相等的小正方形。試試只移動 2 根火柴,變成只有 3 個正方形。

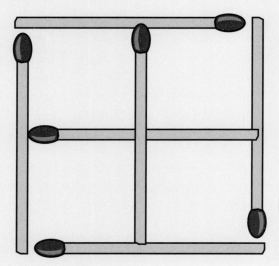

提示 A:左圖的大正方形不變。
提示 B:不能「拿走」任何火柴,你要保持圖中有 6 根火柴!

答案在第 54 頁

答案

運動一

$$1+3+5=148$$

右圖 2 個方法皆可。

$$1+3+5\neq148$$

運動二

❶ 先載綿羊到對岸。

❷ 載小兔子到對岸。

❸ 載綿羊回原處。

❹ 把綿羊放在原處，運蔬菜到對岸。

❺ 最後回原處，載綿羊到對岸。

運動三

方格內的頭像排列如圖：

運動四

答案如圖。圖形可分成上下 2 行來看：上行是黑白交替，下行是 1 至 3 順序出現，所以答案的上行是白色，下行是 2。

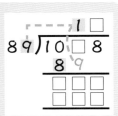

運動五

❶ 按乘數表，只有 3×3 和 9×1 可乘出個位數 9。

配合十位數 8，有三種可能組合：83×3 或 81×9 或 89×1，當中只有 $89\times1 = 89$ 能乘出兩位數。

❷ 右端的 8 會拉至橫線下，代表 89 與某數相乘之答案個位數是 8，而 9 的倍數中只有 $9\times2 = 18$ 的個位數是 8，因此頂部的數是 12，便能計算 $89\times12 = 1068$。

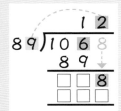

❸ 計算 $106-89 = 178$。這算式能整除，代表最底 2 行相同。這樣就填滿空格了。

上下相同 → 178

運動六

移動 A 和 B，就能形成 2 個不同大小的正方形，連同原有的外框大正方形，共 3 個正方形。

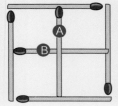
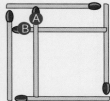

54

代數遊戲卡

一套 52 張「代數遊戲卡」共有 4 大玩法，既能提升代數運算速度，又能增強記憶力，平時可 1 人練習，然後相約三五知己來對戰。熟習所有遊戲後，不妨自行創作其他新玩法啊！

材料

本書提供的紙樣

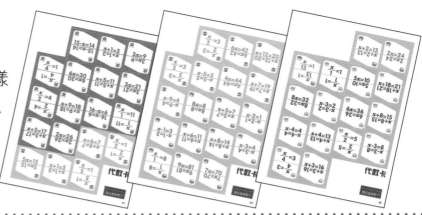

自備剪刀

製作方法

製作時間：15 至 20 分鐘　難度：★☆☆☆☆

沿虛線剪下全部 52 張代數卡。分 4 種顏色，每種顏色各有 13 張。

每張卡上有一條方程式，方程式中的 x 是整數，介乎 1 至 13 之間，計算一下就知道每張卡上 x 的值。

代數卡 52 張

4 大有趣玩法

玩法 一 眼明手快　2 人以上玩

這玩法不僅要算得快，更須手眼協調，出手準確的才能獲勝！

步驟 1

洗勻所有代數卡，平均派發給每位玩者。每人所得的代數卡數目必須相同，如有多餘的卡牌，可置於一旁。

卡背朝上，不得偷看卡的算式。

例如 3 人遊玩時，每人獲發 17 張卡，餘下 1 張。

17 張

17 張

17 張

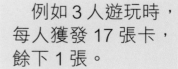

餘下 1 張

步驟 2

玩者輪流出卡,將卡翻開有算式的一面並放在中央,出卡時順序喊出「1」至「13」,第1個人出卡時喊1,第2個人出卡時喊2,喊完「13」後,再由「1」重新開始。

步驟 3

出卡的同時,如發現卡上的 x 值與喊出的數字相同,所有玩者要立即朝中央的牌堆拍下去。

例:代數卡是 $3x = 9$,所以 $x = 3$,而出卡者喊出3,這時所有玩者要鬥快拍在卡上。

$3x = 9$

步驟 4

拍卡最慢者,要回收中央的牌堆,加進自己的牌中,再由步驟2開始。如算錯了 x 的值而「誤拍」,則由拍最快的人回收牌堆。

步驟 5

當玩者手上只剩1張卡,他須在出卡時連續拍卡3次,才算勝出。

如其他玩者發現他出卡時沒有拍3次,就不算勝出,並要回收中央的牌堆,回到步驟2重新開始。

最後1張!我贏了!

你忘了拍3次,可不算贏!

⼆ 速算大戰 （1至4人玩）

多人遊玩時，鬥快算好 x 的值及排大小，最快完成者勝出。1人練習時，可自行記錄完成時間，觀察進步程度。

步驟 1　每人各取1種顏色的代數卡，即每人有13張同色的卡，卡背朝上，洗勻。

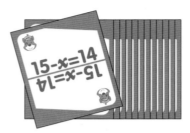
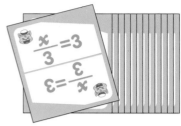

步驟 2　每人將自己的代數卡攤開，有算式的一面向上，放在自己面前。所有玩者一同開始，在自己的代數卡中，先找出 $x = 1$ 的牌，再找 $x = 2$，順序找到 $x = 13$。把代數卡由左至右橫排，依 1、2、3……12、13 順序排好。

順序找出代數卡 x 的值，拿到一旁順序排好。

步驟 3　最先按順序排好「1」至「13」所有卡的玩者就是贏家！

1人練習時，我創下最快記錄33秒，下次跟朋友玩就贏定了！

玩法三 代數齊列隊 2或4人玩

　　玩法與撲克牌遊戲「排七」（又稱作接龍）差不多，簡單易明，適合任何年齡的人遊玩！

步驟1　　取出右方4張 $x = 7$ 的牌，橫放在桌上。

步驟2　　洗勻其餘卡，平均分派給每個玩者，玩者只能看自己的手牌。2人玩時，每人24張卡。4人玩時，每人12張卡。

步驟3　　輪流出卡，每次1張。如手牌中 x 值與桌上的同色卡相鄰，就可出卡，將手牌放在同色卡的上或下方。如手牌 x 值較大，就放在桌上牌的上方，x 值較小就放在下方。

　　最先將手上的卡全部打出的人勝出。

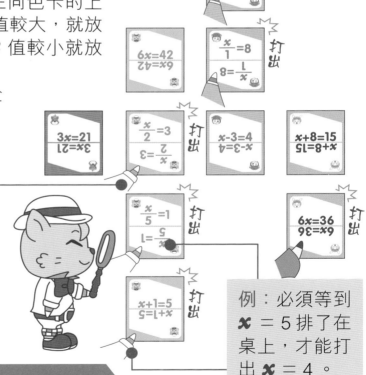

例：這回合輪到華生，他的手牌有綠色 $x = 6$，就可以把卡放在 $x = 7$ 的下方。

例：必須等到 $x = 5$ 排了在桌上，才能打出 $x = 4$。

特別規則「Pass」

- 如沒牌可出，要說「Pass」，讓給下位玩者出牌。
- 每人可說3次「Pass」，第4次說「Pass」時便算輸。
- 就算有牌可出，玩者也能「Pass」來保留手上的牌，以阻止對手打出接着的牌。這是遊戲的重要戰略啊！

玩法四 記憶擂台 2人或以上玩

步驟 1 洗勻所有代數卡，卡背向上，整齊排放。

步驟 2 玩者輪流翻牌，每次翻開任意 2 張，要讓所有玩者都看到。如果 2 張牌上的 **x** 值相同，玩者可取走該 2 張牌。

如果 2 張牌上的 **x** 值不同，玩者就要將 2 張牌反轉，即卡背向上放回原處。

例：翻開的 2 張牌同樣是 **x** = 4，翻牌者可取走這 2 張牌。

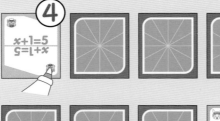

$x+1=5$
$8x=32$

例：翻開的 2 張牌 **x** 值不同，須反轉放回原處。

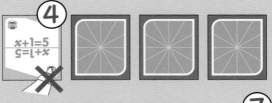

$x+1=5$
$x-3=4$

步驟 3 當桌上所有牌都被取走後，點算各玩者手上的牌，持有最多卡牌者為勝。

大家可舉一反三，自創更多玩法及規則！

其中一個玩者翻牌時，其他玩者可默默心算並牢記牌上的 **x** 值，這是爭勝關鍵！

$15-x=14$

$x+1=3$

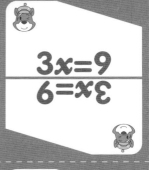

$3x=9$

$\dfrac{x}{4}=1$

$6x=30$

$x+5=11$

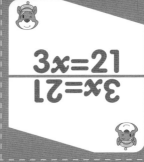

$3x=21$

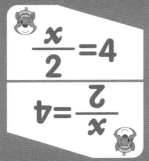

$\dfrac{x}{2}=4$

$x+9=18$

$16-x=6$

$\dfrac{x}{1}=11$

$x+5=17$

$2x=26$

$x+6=7$

$\dfrac{x}{2}=1$

$5x=15$

$x+1=5$

$\dfrac{x}{5}=1$

代數卡

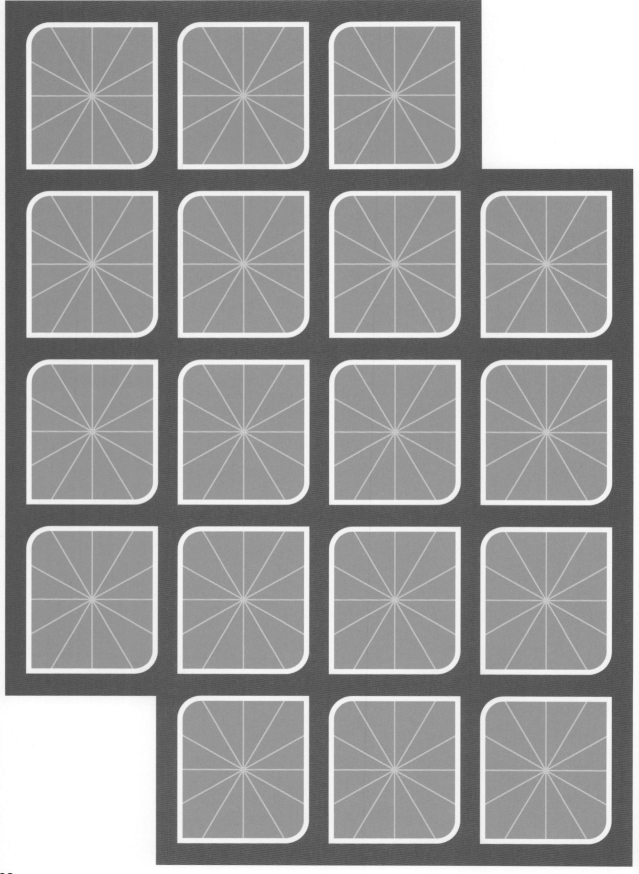

$\dfrac{x}{2}=3$

$\dfrac{x}{2}=3$

$6x=42$

$6x=42$

$x+12=20$

$x+12=20$

$\dfrac{x}{3}=3$

$\dfrac{x}{3}=3$

$x-5=5$

$x-5=5$

$4x=44$

$4x=44$

$x+7=19$

$x+7=19$

$x-9=4$

$x-9=4$

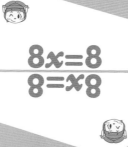

$8x=8$

$8x=8$

$x+5=7$

$x+5=7$

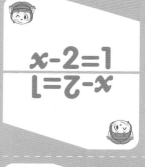

$x-2=1$

$x-2=1$

$x-1=3$

$x-1=3$

$x+6=11$

$x+6=11$

$x+8=14$

$x+8=14$

$x-3=4$

$x-3=4$

$\dfrac{x}{1}=8$

$\dfrac{x}{1}=8$

$9x=81$

$9x=81$

$7x=70$

$7x=70$

代數卡

請沿虛線剪下

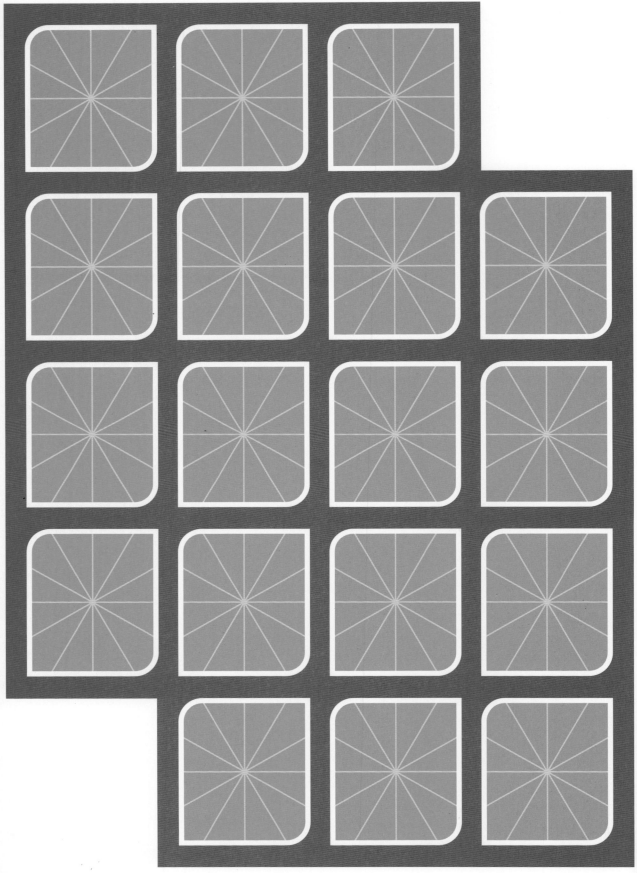

$x+2=13$

$2x=24$

$\dfrac{x}{13}=1$

$\dfrac{x}{1}=1$

$5x=10$

$x+18=21$

$8x=32$

$x-3=2$

$6x=36$

$x+8=15$

$x-4=4$

$x+4=13$

$\dfrac{x}{2}=5$

$x-3=8$

代數卡

$\dfrac{x}{4}=3$

$x+3=16$

請沿虛線剪下

65

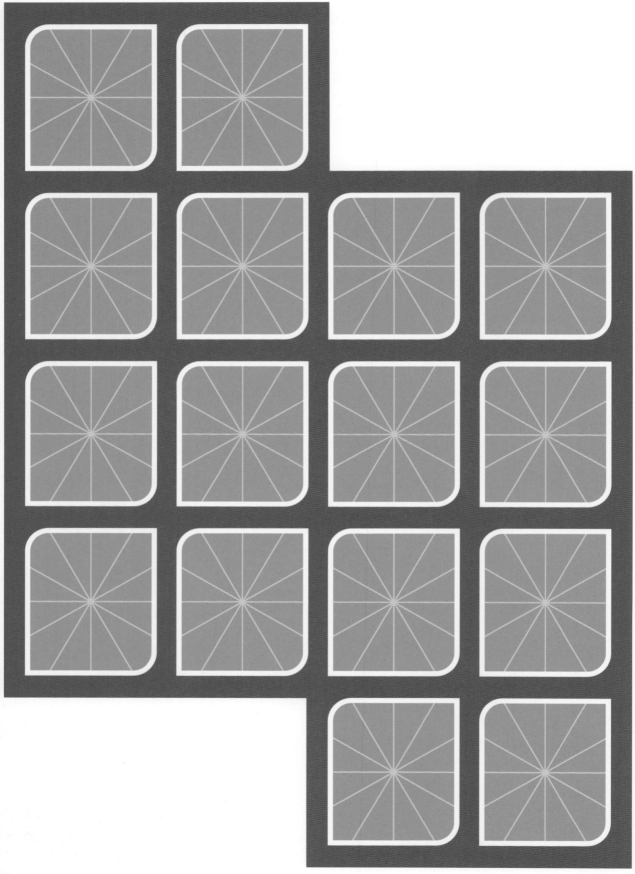

改變代數命運的數學家

叮叮
來自數學世界的小精靈。

小凌
小進的好朋友。

笛卡兒
Rene Descartes
（1596~1650）
法國數學及哲學家，制定現代代數符號。

小進
求知欲強的小四學生。

※笛卡兒：亦有人稱作笛卡爾。

啊？

哼！

到底發生甚麼事呢？

…

漫畫：姜智傑　　劇本：匯識教育創作組

我們在做方程式的功課，老師教我們用 x、y 或 z 來表示未知數。

為甚麼一定要用 x、y 或 z 呢？

用這些圖案不可以嗎？

…

老師說要用 x、y 或 z 嘛！

不明白原因怎可盲目跟從？

不要吵了！我們去找對代數學有很大貢獻的韋達和笛卡兒，問個明白吧！

※韋達（Franciscus Vieta，1540-1603）他的成就可參考本系列《加減乘除之卷》第 50 頁。

人們使用的符號並不統一，常引起混亂。所以我制定了一個代數符數系統。

這個系統是怎樣的呢？

你真的想知道嗎？

對啊！

其實這系統很簡單，就是用英文字母中的響音a、e、i、o和u來代表未知數。

而其餘的英文字母，則用來表示已知的數值。

讓我思考一下…

你們明白嗎？

哈！
我明白了！

現在使用 x、y 或 z 來表示未知數，與韋達的不同呢！

對！
笛卡兒對這個系統作出了修改，變成我們現在使用的代數符號系統。

原來是這樣！
那我們去找笛卡兒吧！

好！

再見了！
韋達！

啊！
居然消失了？

16 世紀
荷蘭

我思故我在…

＊笛卡兒雖然是法國人，但他在 1628 年移居荷蘭，並住了 20 年。

叮叮，
我們怎麼會
在演講廳呢？

噓——安靜些，笛卡兒
先生正在發表他的
哲學理論。

笛卡兒既是一個
出色的數學家，
也是一個著名的
哲學家。

啪 啪

啪 啪

演講完畢了，
去找笛卡兒吧！

笛卡兒先生，
你好！

你們好！
之前沒看過你們，
第一次來我的演講會嗎？

是啊！

有興趣來
我家嗎？
看看我的
數學著作吧！

好啊！

啊？
這不是韋達嗎？

對！韋達所制定的代數符號系統，是代數學的突破！

唔！
我也有同感呢！

不過我自創了另一套代數符號系統。

是不是用 x、y 或 z 來表示未知數呢？

是啊！
你是怎樣知道的？

嘻嘻！

只用 3 個字母來表示未知數就夠了嗎？

對！

計算時
未知數不會太多，
因此用 x、y 或 z
來表示已足夠。

明白！

而已知的數值，
則以 a、b 或 c 等字母
來表示。

這就是我們
慣用的代數
符號系統了！

啊！
不要動！

甚麼？

你身後有蒼蠅！
就在牆上第 2 行、
第 4 列那一格！

唔⋯
那即是説，
蒼蠅的位置可以
用（2,4）來表達⋯

用這個方法，就能
清楚指出平面上
某一點的位置。

這發現實在太令人興奮了!

你發現了甚麼啊?

啊?

就用棋盤來研究座標,表示平面上的位置吧!

你幫了我一個大忙呢!我要去研究數學了!

我幫了你甚麼呢?

再見!

……

剛剛笛卡兒到底發現了甚麼啊?

他發現的是座標啊!

甚麼是座標?

我在數學書上看過它！座標的橫軸是 x，縱軸是 y。

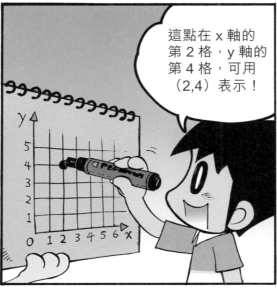

但其實笛卡兒發明的座標並沒有命名 y 軸，y 軸是後來人們加上去的。

＊牛頓（Isaac Newton，1643-1727），英國科學家兼數學家。
＊萊布尼茨（Gottfried Wilhelm Leibniz，1646-1716），又叫萊布尼茲，德國數學家。

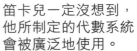
笛卡兒一定沒想到，他所制定的代數系統會被廣泛地使用。

對了！

我也要制定一個代數符號系統！

說不定能取替笛卡兒的那個系統呢！

你不是想制定一些怪符號吧？

未來數學之星小進的偉大理論，你們等着瞧吧！

哈哈哈哈！

本集完

笛卡兒座標

笛卡兒眾多數學理論中，影響後世最深遠的就是座標，它聯合當時分開發展的代數學與幾何學，造就日後科學發展的強大推動力。

用座標畫出方程式及幾何圖形

今天，經過改良的**笛卡兒座標**（Cartesian Coordinates）又稱**直角座標**（Rectangular Coordinates），它有一條**橫**軸和一條**縱**軸，分別稱為 **x 軸**和 **y 軸**，除了表示位置外，它還可以表示有*兩個未知數*的方程式。

例如方程式是 **y = x + 1**

當 x = 1，那麼 y = 1 + 1 = 2，
寫成座標就是（1, 2）；
當 x = 2，那麼 y = 2 + 1 = 3，
寫成座標就是（2, 3）。
如此類推，就可以畫成右圖中的斜線。

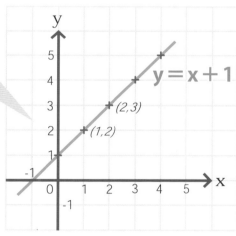

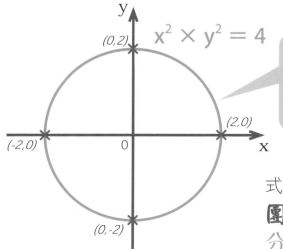

當方程式涉及**次方數**時，在座標上顯示出來的線會變得更複雜，甚至能畫出幾何圖形，如圓形、橢圓形等。

某些幾何圖形也可*反過來*變成方程式，科學家用這方法解開種種**科學謎團**，例如牛頓和萊布尼茨分別發明*微積分*，而牛頓亦因此發現**萬有引力**。

運用代數的速算法

本章的速算法以代數為原理，針對**平方數**及**多位乘法**，就算答案大至萬位，也能算得又快又準！

速算法 ① 平方數相減

假設兩數為 a 和 b，平方數相減即 $a^2 - b^2$，你可用以下算式：

> **兩個平方數相減＝兩數的和×兩數的差**
> $$= (a + b) \times (a - b)$$

例子 假設 a 和 b 分別是 37 和 13，平方數相減即 $37^2 - 13^2$，代入數式：

$$37^2 - 13^2$$
$$= (37 + 13) \times (37 - 13)$$
$$= 50 \times 24$$
$$= 1200$$

真神奇！變成簡單的四則運算了！

算一算 $(a + b) \times (a - b)$，你就能明白箇中原理。

原理

兩數的和×兩數的差
$$= (a + b) \times (a - b)$$
$$= a \times (a - b) + b \times (a - b)$$
$$= a^2 - ab + ab - b^2$$
$$= a^2 - b^2$$
$$= 兩個平方數相減$$

到最後，上方的算式其實等同 $a^2 - b^2$，可謂殊途同歸呢！

$3007^2 = ?$

速算法 2 多位數的平方

無論是十位數還是更大的多位數都適用此速算法，先將「個位以外的數」設成 a，再將「個位」設成 b，數式如下：

多位數的平方 =
100 ×個位以外的數² + 20 ×個位以外的數×個位＋個位²

⬇

$$100 \times a^2 + 20 \times a \times b + b^2$$

以四位數 3007^2 為例，a=300，b=7，代入數式：

3007 的平方
$= 100 \times 300^2 + 20 \times 300 \times 7 + 7^2$
$= 100 \times 90000 + 6000 \times 7 + 49$
$= 9000000 + 42000 + 49$
$= 9042049$

我還是不懂！數式中的 100 和 20 是怎樣來的？

要解答這疑問，先要認識 **10a + b**。

四位數 3007 可拆開成 10×300 + 7，同樣用 a=300，b=7 代入，便可寫成 10a + b，其實任何多位數都能用 10a + b 表示，所以多位數的平方是（10a + b）²，算一算，得出頂部的數式：

多位數的平方
$= (10a + b)^2$
$= (10a + b) \times (10a + b)$
$= 10a \times (10a + b) + b \times (10a + b)$
$= 100a^2 + 10ab + 10ab + b^2$
$= 100a^2 + 20ab + b^2$

（相等）

原來數式中的 100 來自 10a×10a，而 20 則來自 10ab + 10ab。

根據乘法交換律，在計算過程中，b×10a 即 b10a 可寫成 10ab，以方便計算。

只要弄清楚 a 和 b 的關係，就能輕鬆記住 $100a^2 + 20ab + b^2$。

註：此算法即是傅聖澤向康熙帝呈獻的《阿爾熱巴拉新法》的例題（見 p.42）。

速算法 3 5 字尾數的自乘（平方）

還記得李大猩在《加減乘除之卷》第 85 頁介紹過這速算法嗎？它其實可用上一頁的原理來解釋！

例子 **265 × 265** 或 **265²**

萬	千	百	十	個
		2	6	5
×		2	6	5
7	0	2	2	5

個位數 5 自乘

$$5 × 5 = 25$$

相乘的積寫在最末二位。

個位以外的數 × 個位以外的數 + 1

$$26 × (26 + 1)$$

將 26 × 27 = 702 寫在百位以上，得出答案 70225。

類似上頁，先將「個位以外的數」設成 a，就能用一條代數式來表示上述速算法，如下：

> ## 5 字尾數的平方 = 100a × (a + 1) + 25

 原理　例子中的 265 可拆開成 10 × 26 + 5，而個位以外的數 = a，即 26 = a，可寫成 10a + 5，平方數就是（10a + 5）²，這能換算出上述數式：

5 字尾數的平方

相等
$$= (10a + 5)^2$$
$$= (10a + 5) × (10a + 5)$$
$$= 10a × (10a + 5) + 5 × (10a + 5)$$
$$= 100a^2 + 50a + 50a + 25$$
$$= 100a^2 + 100a + 25$$
$$= 100a × (a + 1) + 25$$

為甚麼 100a² + 100a 能變成 100a×(a+1)？到底 1 是怎樣來的？試試反過來，先計算 100a×(a+1) = 100a×a + 100a×1，就知道它能寫成 100a² + 100a。

$5051 \times 881 = ?$

先將相乘的 2 個多位數中「個位以外的數」分別設成 a 和 b。

個位是 1 的數相乘 =
100 × (兩數個位以外的數之積) + 10 × (兩數個位以外的數之和) + 1

⬇

$$100ab + 10 \times (a + b) + 1$$

 例子 以 5051 × 881 為例，a = 505，b = 88，代入數式：

$$5051 \times 881$$
$$= 100 \times 505 \times 88 + 10 \times (505 + 88) + 1$$
$$= 100 \times 44440 + 10 \times 593 + 1$$
$$= 4444000 + 5930 + 1$$
$$= 4449931$$

除了用直式來乘，也可試試這速算法！

 原理 與前兩頁一樣：將「個位以外的數」設成 a 後，多位數就能以「10a + 個位」來表示。因此 5051 可寫成 10 × 505 + 1，當 a = 505，就可寫成 10a + 1。

在此例，有兩個多位數相乘，即有兩組 10a + 1，為分辨兩者，將另一組改稱作 10b + 1。於是，兩數相乘可寫成 (10a + 1) × (10b + 1)，算一算，得出頂部的數式：

$$(10a + 1) \times (10b + 1)$$
$$= 10a \times (10b + 1) + 1 \times (10b + 1)$$
$$= 100ab + 10a + 10b + 1$$
$$= 100ab + 10 \times (a + b) + 1$$

還記得「公因數」嗎？10a 和 10b 的公因數是 10，所以 10a + 10b 可寫成 10 × (a + b)。

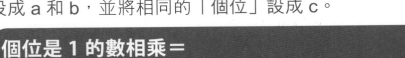 **速算法 5 個位相同的數相乘**

 5054 × 884 ＝ ？

做法及原理類似上頁的「個位是 1 的數相乘」，先將相乘的 2 個多位數中「個位以外的數」分別設成 a 和 b，並將相同的「個位」設成 c。

個位是 1 的數相乘＝

$$100 \times \left(\begin{array}{c}\text{兩數個位以外}\\\text{的數之積}\end{array}\right) + 10 \times \text{個位} \times \left(\begin{array}{c}\text{兩數個位以外}\\\text{的數之和}\end{array}\right) + \text{個位的平方}$$

⬇

$$100ab + 10c \times (a + b) + c^2$$

 例子　以 5054 × 884 為例，a ＝ 505，b ＝ 88，c ＝ 4，代入數式：

$$5054 \times 884$$
$$= 100 \times 505 \times 88 + 10 \times 4 \times (505 + 88) + 4^2$$
$$= 100 \times 44440 + 40 \times 593 + 16$$
$$= 4444000 + 23720 + 16$$
$$= 4467736$$

 原理　將個位設成 c，而個位以外的數則分別設成 a 和 b，兩個多位數就能寫成「10a ＋ c」和「10b ＋ c」來表示。

因此，兩數相乘可寫成（10a ＋ c）×（10b ＋ c），算一算，得出頂部的數式：

$$(10a + c) \times (10b + c)$$
$$= 10a \times (10b + c) + c \times (10b + c)$$
$$= 100ab + 10ac + 10bc + c^2$$
$$= 100ab + 10c \times (a + b) + c^2$$

如果 c ＝ 1，數式就與上頁相同。

由於 10ac 和 10bc 的公因數是 10c，所以 10ac ＋ 10bc 可寫成 10c×（a ＋ b）。

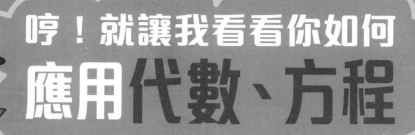

M 博士向你下戰書

哼！就讓我看看你如何
應用代數、方程

M 博士又來找我們麻煩了！別擔心，只要運用學校所教的知識和本書的速算法，M 博士的題目自然**迎刃而解**！

基礎篇

草稿欄

1 以下哪一項是方程式？

(i) $8 \times 7 + 1 = 57$

(ii) $5x > 16$

(iii) $6y - 2 = 4$

答案：

2 請計算下列方程式中未知數 y 的值：

(i) $4y + 1 = 13$

答案：

(ii) $2 \times (y + 5) = 4$

答案：

(iii) $\dfrac{3y + 7}{4} = 4$

答案：

3 三角形的面積是 $56cm^2$，已知底為 16cm，三角形的高是幾 cm ？

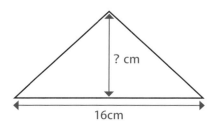

? cm

16cm

答案：

85

4 愛麗絲的數學測驗成績是82分，相等於她的同學艾達得分的2倍再加24分，艾達的得分是多少呢？

答案：

5 有兩個連續數，兩數的和為123，連續數中較大的數是多少呢？

答案：

連續數指 n 和 n＋1，也可寫成 n 和 n－1。例如 55 和 56 是連續數，兩數的和是 111。

6 華生買了一盒草餅來招呼客人，但被小兔子偷吃了 2 個。華生把餘下的草餅平均分給 6 位客人，每位客人分得 3 個。原有多少個草餅呢？

答案：

7 福爾摩斯和李大猩進行賽車比賽，福爾摩斯的車速是 125 km/h。李大猩加速，車速變成原來的 3 倍，但亦比福爾摩斯的車速慢 5 km/h，李大猩原來的車速是多少 km/h？

答案：

8 M 博士買了一本小說，小說分成 8 個章節，每個章節的頁數一樣，第 36 頁剛好是第 3 章的最後一頁，全書共有多少頁呢？

答案：

哼！就讓我看看你如何應用**代數、方程**

要仔細觀察！別大意！

進階篇

1 請把方程式與正確的答案連起來。

$y - 7 = -3$ •

$4 \times (3y - 1) = 68$ •

$\dfrac{2y + 3}{2} = 3.5$ •

• $y = 2$

• $y = 4$

• $y = 6$

草稿欄

2 狐格森買了一瓶牛奶，第一天喝了 $\dfrac{1}{5}$，第二天喝了 100 毫升，牛奶還剩下 500 毫升，牛奶原有多少毫升呢？

答案：

3 請參照第 32 頁的內容，計算 1997 年 7 月 1 日是星期幾。

答案：

1997 年
七月
1

4 李大猩和狐格森參加接力賽跑，李大猩走了路程的 $\dfrac{2}{3}$，就由狐格森接力，狐格森走了 400 米就到達終點了。請問賽跑的總路程是多少米呢？

答案：

草稿欄

5 在 6B 班中，女生佔全班的 $\frac{2}{5}$，而長頭髮的女生，佔全部女生的 $\frac{3}{4}$，已知長頭髮的女生有 12 人，請問全班共有多少學生？

答案：

6 M 博士手上有 A 和 B 兩本郵票收藏冊，A 冊內有 234 枚郵票，B 冊則有 100 枚，他要從 A 冊移動多少枚至 B 冊，才能使兩冊的郵票數目一樣呢？

答案：

7 小兔子儲了 5000 元，是小胖豬的儲蓄金額的 4 倍還要多 200 元，小胖豬的儲蓄金額是多少？

答案：

8 房東太太買了一箱蘋果，當中的 $\frac{4}{5}$ 是沒有壞的，其餘的也壞掉了。她用了 20 個沒壞的蘋果來造蘋果批，最後還餘下 4 個，一箱蘋果本來有多少個呢？

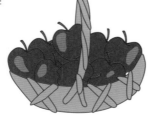

答案：

哼！就讓我看看你如何
應用代數、方程

要小心驗算啊！

挑戰篇

1 請計算出 x ＝ 0 至 x ＝ 4 時，y ＝ 2x ＋ 3 中 y 值。

x	0	1	2	3
y				

2 承上題，將 x 和 y 相對應的值，在直角座標中表示出來，並將各點連起來。

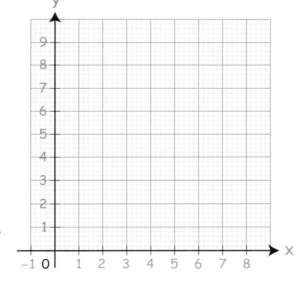

3 愛麗絲在暑假的第一天完成了作業的 $\frac{1}{4}$，第二天又完成了 15 條題目，餘下還有 60 條未完成，她第一天做了多少條題目呢？

答案：

4 華生參加旅行團，如果旅行社租用 5 輛旅遊巴，會空出 18 個座位，但只租用 4 輛旅遊巴，又欠 20 個座位。請問每輛旅遊巴能坐幾人？

答案：

89

5 承上題，團友及導遊總共幾人？

答案：

草稿欄

6 愛麗絲將零用錢的 15% 買花，20% 買蛋糕，35% 買新衣服，餘下 $150 拿去儲蓄，那麼她原有零用錢有多少？

答案：

儲蓄佔原有零用錢的百分比是多少？

7 華生昨天乘的士，付了車資 $62.6。今天乘巴士，車資是昨天的 14 倍再加上 $6，還比的士車資少 $0.6，請問巴士的收費是多少錢呢？

答案：

8 李大猩存錢進銀行，每年存進 $1000，假設銀行的利率為 5%，這個儲蓄的習慣持續了 6 年，他 6 年後所得的本利和是多少？
（答案準確至整數）

答案：

可參考第 48 頁的方程式，這題可用計算機來算啊！

9 少年偵探隊在麵包店打工，某天賣出的麵包中有 $\frac{1}{4}$ 為紅豆包，$\frac{2}{3}$ 為蜜瓜包，其餘為奶油包，已知奶油包賣出 3 個，當天共賣出多少個麵包？

答案：

10 百貨公司大減價，1 件襯衣比原價便宜了 24 元，如果購買 2 件或以上，還會有額外 8 折優惠。福爾摩斯買了 5 件襯衣，所付的金額為 $300，襯衣的原價是多少？

答案：

答案

❶ 方程式的定義是一條含有代數符號的等式，（i）當中沒有代數符號，而（ii）是一條不等式，所以只有（iii）是方程式。

❷ （i）　　$4y + 1 = 13$
　　　　　　$4y = 12$
　　　　　　　$y = 3$

　（ii）　$2 \times (y + 5) = 4$
　　　　　　$y + 5 = 2$
　　　　　　　　$y = -3$

　（iii）　$\dfrac{3y + 7}{4} = 4$
　　　　　$3y + 7 = 16$
　　　　　　　$3y = 9$
　　　　　　　　$y = 3$

❸ 設三角形的高是 x cm。
　　　$16x \div 2 = 56$
　　　　　$16x = 112$
　　　　　　$x = 7$
三角形的高是 7 cm。

❹ 設艾達的數學測驗得分是 x。
　　　$2x + 24 = 82$
　　　　　$2x = 58$
　　　　　　$x = 29$
艾達的數學測驗得分是 29 分。

❺ 假設連續數中較大的數是 x，較小的數就是 x − 1。
　　$x + x - 1 = 123$
　　　$2x - 1 = 123$
　　　　　$2x = 124$
　　　　　　$x = 62$
連續數中較大的數是 62。

❻ 設草餅原有 x 個。
　　$(x - 2) \div 6 = 3$
　　　　$x - 2 = 18$
　　　　　　$x = 20$
草餅原有 20 個。

❼ 設李大猩原來的車速是 x km/h。
　　　$3x + 5 = 125$
　　　　$3x = 120$
　　　　　$x = 40$
李大猩原來的車速是 40 km/h。

❽ 設全書共有 x 頁。
　　$\dfrac{3}{8} x = 36$
　　　$x = \overset{12}{\cancel{36}} \times \dfrac{8}{\cancel{3}}$
　　　$x = 96$
全書共有 96 頁。

❶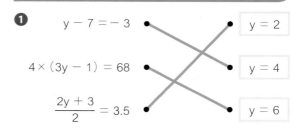

❷ 設牛奶原有 x 毫升，即第一天喝了 $\dfrac{1}{5}$ x 毫升。
　　$\dfrac{1}{5} x + 100 + 500 = x$
　　　$\dfrac{1}{5} x + 600 = x$
　　　　$\dfrac{4}{5} x = 600$
　　　　　$x = \overset{150}{\cancel{600}} \times \dfrac{5}{\cancel{4}}$
　　　　　$x = 750$
牛奶原有 750 毫升。

❸ 參照第 32 頁「星期幾計算法」的蔡勒公式，$c = 19$，$y = 97$，$m = 7$，$d = 1$，代入算式，就變成：

$$W = \left[\dfrac{c}{4}\right] - 2 \times c + y + \left[\dfrac{y}{4}\right] + \left[\dfrac{26 \times (m + 1)}{10}\right] + d - 1$$

$$W = \left[\dfrac{19}{4}\right] - 2 \times 19 + 97 + \left[\dfrac{97}{4}\right] + \left[\dfrac{26 \times (7 + 1)}{10}\right] + 1 - 1$$

$$= 4 - 2 \times 19 + 97 + 24 + \left[\dfrac{26 \times 8}{10}\right] + 1 - 1$$

$$= 4 - 38 + 97 + 24 + 20 + 1 - 1$$

$$= 107$$

> 這特殊的括號是高斯符號，代表只取整數，捨棄小數或餘數的值。

$$W \div 7 = 107 \div 7$$
$$= 15 \cdots 2$$

餘數是 2，所以 1997 年 7 月 1 日是星期二。

4 設賽跑的總路程為 x 米。

$$\frac{2}{3}x + 400 = x$$

$$\frac{1}{3}x = 400$$

$$x = 1200$$

賽跑的總路程為 1200 米。

5 設全班有 y 個學生，女生的數目就是 $\frac{2}{5}y$，
而長頭髮的女生就有 $\frac{3}{4} \times \frac{2}{5}y$。

$$\frac{3}{4} \times \frac{2}{5}y = 12$$

$$\frac{6}{20}y = 12$$

$$y = 12 \times \frac{20}{6}$$

$$y = 40$$

全班有 40 個學生。

6 設 M 博士要從 A 冊移動 x 枚郵票至 B 冊，A 冊郵票數量就是 234 − x，而 B 冊就是 100 + x。

$$234 - x = 100 + x$$

$$234 = 100 + 2x$$

$$134 = 2x$$

$$x = 67$$

M 博士要從 A 冊移動 67 枚郵票至 B 冊，才能使兩冊的郵票數目一樣。

7 設小胖豬的儲蓄金額為 x 元。

$$4x + 200 = 5000$$

$$4x = 4800$$

$$x = 1200$$

小胖豬的儲蓄金額為 1200 元。

8 設一箱蘋果原有 x 個，沒壞的就有 $\frac{4}{5}x$ 個。

$$\frac{4}{5}x - 20 = 4$$

$$\frac{4}{5}x = 24$$

$$x = 24 \times \frac{5}{4}$$

$$x = 30$$

一箱蘋果原有 30 個。

M 博士向你下戰書 挑戰篇

1

x	0	1	2	3
y	3	5	7	9

2

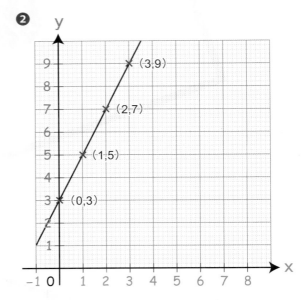

3 設作業共有 x 條題目，
即第一天完成了 $\frac{1}{4}x$ 條題目。

$$\frac{1}{4}x + 15 = x - 60$$

$$\frac{3}{4}x = 75$$

$$x = 100$$

作業共有 100 條題目，因此
第一天完成的題目 $= \frac{1}{4} \times 100$

$$= 25$$

第一天完成共 25 條題目。

4 設每輛旅遊巴能坐 x 人，所以團友及導遊總人數可以寫成 5x − 18 或 4x + 20。

$$5x - 18 = 4x + 20$$

$$x = 38$$

每輛旅遊巴能坐 38 人。

5 團友及導遊總人數 $= 5 \times 38 - 18$

$$= 190 - 18$$

$$= 172 \text{ 人}$$

6 設愛麗絲原有零用錢 y 元。

$$y \times (1 - 15\% - 20\% - 35\%) = 150$$
$$y \times 30\% = 150$$
$$y \times \frac{30}{100} = 150$$
$$y = 150 \times \frac{100}{30}$$
$$y = 500$$

愛麗絲原有零用錢 500 元。

7 設巴士收費是 x 元。

$$14x + 6 = 62.6 - 0.6$$
$$14x + 6 = 62$$
$$14x = 56$$
$$x = 4$$

巴士的收費是 4 元。

8 參照第 48 頁的算式，將以下數值代入，即 p = 1000，r % = 5%，n = 6，就會變成：

$$A = p \times (1 + r\%) \times \frac{(1 + r\%)^n - 1}{r\%}$$

$$A = 1000 \times (1 + 5\%) \times \frac{(1 + 5\%)^6 - 1}{5\%}$$

$$= 1000 \times 1.05 \times \frac{1.05^6 - 1}{0.05}$$

$$= 1000 \times 1.05 \times \frac{0.34009\cdots}{0.05}$$

$$= 1000 \times 1.05 \times 6.80191\cdots$$

$$= 7142.0084\cdots$$

$$= 7142 （答案準確至整數）$$

李大猩 6 年後的本利和是 $7142。

9 設賣出的麵包數目為 x，紅豆包賣出 $\frac{1}{4}$ x 個，蜜瓜包賣出 $\frac{2}{3}$ x 個。

$$\frac{1}{4}x + \frac{2}{3}x + 3 = x$$
$$\frac{11}{12}x + 3 = x$$
$$\frac{1}{12}x = 3$$
$$x = 36$$

當天共賣出 36 個麵包。

10 設襯衣的原價為 y 元，減價後，售價就是 y − 24，福爾摩斯買 5 件，即要付 5×（y − 24），因再額外有 8 折優惠，算式就會變成 5×（y − 24）×80%。

$$5 \times (y - 24) \times 80\% = 300$$
$$5 \times 80\% \times (y - 24) = 300$$
$$4 \times (y - 24) = 300$$
$$y - 24 = 75$$
$$y = 99$$

襯衣的原價是 $99。

這題可用計算機計算次方數，但如何用計算機按出「1.05^6」呢？

先輸入 1.05，按「x^y」鍵，再按 6，最後按「＝」便能得出答案。

有些手提電話 / 平板電腦的計算機 APP 應用程式會用「^」鍵代替「x^y」鍵。

你們能通過這些挑戰嗎？

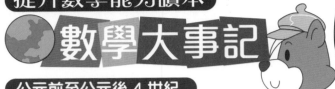
提升數學能力讀本
數學大事記

以下按年份順序輯錄本系列提及的數學家、重要著作及理論的大事,方便查找!

公元前至公元後 4 世紀

相傳公元前 3000 年
埃及人用地上投影桿倒影報時,並均分為 12 個時段。 卷❺ p.38

公元前 1100 年 卷❸ p.67
相傳中國**商高**以「勾三、股四、弦五」(勾股定理)推斷高度。

卷❷ p.34
公元前 1800 年
據阿默士紙草書所載,埃及使用**埃及分數**分配東西。

公元前 540 年 卷❸ p.72
希臘**畢達哥拉斯**證明直角三角形的「畢氏定理」。

公元前 4 世紀
相傳希臘提洛島發生**提洛問題**(倍立方),這與化圓為方、三等分角並稱「古希臘三大數學難題」。 卷❹ p.39

公元前 287 年至前 212 年 希臘**歐幾里得**著《幾何原本》。 卷❸ p.40

約公元前 1 世紀後
中國已有《周髀算經》、《九章算術》。 卷❸ p.40

卷❸ p.41 卷❹ p.65

公元前 287 年至前 212 年
希臘**阿基米德**研出圓錐體、球體及圓柱體的體積比例,以及圓周率是 3.14,也發明了「阿基米德螺旋提水器」等。

約 250 年
希臘**丟番圖**著《算術》,提出不定方程式,引入未知數概念。 卷❻ p.39

約 263 年
中國三國時代,**劉徽**為《九章算術》作註,用割圓法計出圓周率為 3.1416。 卷❸ p.42

劉徽割圓術

約 462 年 卷③ p.42
中國**祖沖之**計算圓周率精確到小數點後七個位。

約 5 世紀 卷⑤ p.79
中國《孫子算經》介紹大數算到「載」。 載 $= 10^{44}$

約 830 年
阿拉伯人**花拉子米**著《代數學》，後來傳入歐洲，稱代數為 algebra。
卷⑥ p.41

約 9 世紀
印度出現 0 至 9 的數字，後來傳入阿拉伯，阿拉伯再傳至歐洲演變為今日的「阿拉伯數字」。

卷⑥ p.38

1489 年
德國**維德曼**出版數學書，使用＋及－表示加及減。

卷① p.50

1557 年 卷① p.51
英國**雷科德**用＝表示相等之意，最後在 18 世紀普及。

韋達（1540~1603）
法國**韋達**提出用英文字母響音「ａｅｉｏｕ」為代數未知數。

卷⑥ p.67

1582 年
教宗 10 月 15 日著令天主教國家，實施由**利烏斯**計算的更準確曆法——格里曆，成為今日的公曆。

卷⑤ p.65

1631 年
英國**奧屈特**在著作《數學之鑰》中首次使用 × 表示乘法。

卷① p.50

笛卡兒（1596~1650）

法國**笛卡兒**另創 ｘｙｚ 表示未知數，另製定「笛卡兒座標」。
卷⑥ p.67

費瑪（1601~1665）
費瑪提出**費瑪猜想**，1995 年獲確認。
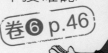
另外費瑪也提出**概率論**。
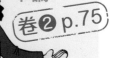
卷② p.75

巴斯卡（1623~1662）

法國**巴斯卡**發明全球首部機械計算機，可計算加減法。

1724 年 華氏溫標誕生。
1742 年 攝氏溫標誕生。

1824 年

挪威**阿貝爾**證明「五次代數方程不可解」。

卷**6** p.45

1852 年至 1866 年

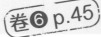 卷**6** p.44

中國**李善蘭**在上海翻譯《代數學》等數學著作，algebra 譯為代數學。

1972 年

國際定期協調閏秒。 卷**5** p.40

Current Local Time in **Hong Kong**
07:59:60
Sunday 1 January 2017

1995 年 卷**6** p.46

英國**懷爾斯**確認費瑪猜想正確，從此猜想改稱為「費瑪大定理」。

1659 年

瑞士**雷恩**初次使用 ÷ 為除號。

卷**1** p.51

關孝和（1642~1708）

日本**關孝和**開創**和算**，並著《三部抄》，以行列式理論研究方程。

卷**6** p.43

莫比烏斯（1790~1868）

德國**莫比烏斯**發現「莫比烏斯帶」。

卷**3** p.43

1875 年

卷**5** p.36

國際議定「米制公約」，確認「米」是公認長度單位。

1981 年至 2002 年

日本**金田康正**用電腦算出圓周率的小數後 1.2 兆個位。

卷**3** p.42

只要
努力不懈 • 認真研究
**你也能當
未來的數學家！**